Enfim, 30

um livro para não entrar em crise

Camila Fremder & Jana Rosa

Enfim, 30

Um livro para não entrar em crise

pa
ra
le
la

A Editora Paralela é uma divisão da editora Schwarcz S.A.

Grafia atualizada segundo o Acordo Ortográfico da Língua Portuguesa de 1990, que entrou em vigor no Brasil em 2009.

CAPA E PROJETO GRÁFICO Ale Kalko

PREPARAÇÃO Joana Barbosa

REVISÃO Adriana Bairrada e Renata Lopes Del Nero

Dados Internacionais de Catalogação na Publicação (CIP)
(Câmara Brasileira do Livro, SP, Brasil)

Fremder, Camila
Enfim, 30: um livro para não entrar em crise / Camila Fremder, Jana Rosa. — 1ª ed. — São Paulo: Paralela, 2015.

ISBN 978-85-8439-015-1

1. Administração de crise 2. Bem-estar 3. Conduta de vida 4. Crise da meia-idade 5. Estilo de vida 6. Qualidade de vida
I. Rosa, Jana. II. Título.

15-07998 CDD-362.1068

Índice para catálogo sistemático:
1. Administração de saúde: Bem-estar social 362.1068

1ª reimpressão

[2016]

EDITORA SCHWARCZ S.A.
Rua Bandeira Paulista, 702, cj. 32
04532-002 — São Paulo — SP
Telefone: (11) 3707-3500
Fax: (11) 3707-3501
www.editoraparalela.com.br
atendimentoaoleitor@editoraparalela.com.br

SUMÁRIO

Introdução

Chegar aos trinta é uma crise. Uma crise que começa um pouco antes, por volta dos 27, 28 anos.

Um dia ficamos angustiadas, malucas, confusas, cheias de dúvidas sobre quem éramos e o que gostávamos de fazer na vida ou qual deveria ser nossa profissão. Tudo ficou de cabeça para baixo. Conhecemos novos medos, desejos, questionamentos e cobranças que começaram a surgir por todos os lados. Nos avisaram que era assim mesmo, é isso que acontece com quem faz trinta anos. Ficou tudo meio nebuloso e um pouco assustador; chegou a hora de assumir que somos adultas e mudar algumas coisas na gente para acompanhar essa nova fase... Mas por onde começar? E precisa mesmo começar?

Quem já passou pelos trinta faz tempo pode até rir e achar que estamos fazendo drama. Vão dizer que os trinta eram ótimos e que ter trinta é ser superjovem e quase igual a ter vinte ou 25. Sabemos que somos jovens e acreditamos que vai ser ótimo, mas no meio de milhões de coisas que se passam pela nossa cabeça, nosso corpo e a nossa volta, juramos que muitas vezes não é nada fácil.

A crise dos trinta não quer dizer que os vinte foram horríveis e que nos sentimos mal porque nossa vida sempre esteve errada. Parecia que estava tudo meio certo nos vinte e aí do nada pareceu que estava tudo supererrado chegando aos trinta.

E no meio de tudo errado, caímos na real de que já vivemos três décadas de vida e que três décadas é um bom tempo — e aí nos perguntamos: "Mas passou tão rápido, o que fizemos nessas três décadas?", e parece que não fizemos nada esse tempo todo.

Uma década inteira da nossa vida fomos crianças demais, a outra passamos inteira na escola e faculdade, depois tivemos uma década para tentar descobrir quem somos e o que queremos fazer no mundo, mas, quando nem conseguimos chegar a alguma conclusão, apareceram mais dúvidas.

Nesse momento, aos trinta e aos 33 anos, tentamos entender essa crise que nos afetou e afetou também nossos amigos. Decidimos então escrever este livro e algo mágico aconteceu: entendemos que fazer trinta anos pode ser leve e descomplicado. Nas próximas páginas esperamos ajudar a todas as leitoras e leitores assim como pudemos ajudar a nós mesmas.

Este é um livro de humor e informação para pessoas que já chegaram, vão chegar ou já passaram dos trinta.

Aos trinta você começa a ficar velha?

Há pouco mais de cem anos, em 1900,[1] ao chegar aos trinta anos as pessoas se aproximavam do fim da vida. Isso porque a expectativa média da vida de um brasileiro era de 33 anos. Nos anos 1960, o fim ainda era muito próximo: a expectativa de vida era de 48 anos. Segundo o IBGE, em 2013 a expectativa de vida de um brasileiro já era de 74,9 anos, ou seja, quem chega hoje aos trinta não está nem na metade da vida.[2]

Estamos só começando, mas a verdade é que já vivemos um bom tempo para saber que a metade da vida um dia vai chegar. Pela primeira vez pensamos em "metade" que "se aproxima" e só de escrever sobre esse tema já dá um pouco de desespero e vontade de refletir em silêncio ou de sair fazendo tudo o que sonhamos pra não deixar nada pra trás, afinal o tempo passa rápido, e ontem mesmo não tínhamos roupa pra ir a uma festa de quinze anos.

No espelho, o corpo começa a mudar aos trinta. Tem muita sorte quem disser que não, mas a pele do rosto fica mais fina, algumas pequenas marcas de expressão aparecem, engordar passa a ser muito mais fácil e emagrecer algumas vezes mais difícil. O corpo começa a reclamar de qualquer excesso e uma noite maldormida ou uma festa open bar tem consequências nunca antes sonhadas. Você lembra agora que tem joelhos e costas, e o tom como os médicos conversam com você nas consultas muda. Eles não te tratam mais como fofa inconsequente, e sim cobram uma postura de adulta responsável que deveria ser a mais interessada em cuidar da própria saúde.

Todas essas mudanças que vêm com o número trinta estão longe de ser uma completa paranoia. O corpo começa mesmo a envelhecer

---

1. "A evolução da expectativa de vida e projeções (em anos)". Disponível em: <pucrs.br/pucrs/files/adm/asplam/Aevolucaodaexpectativadevida.pdf>. Acesso em: 12 ago. 2015.

"IBGE lança Estatísticas do século XX", 29 set. 2013. Disponível em: <ibge.gov.br/home/presidencia/noticias/29092003estatisticasecxxhtml.shtm>. Acesso em: 12 ago. 2015.

"Censo demográfico do Brasil de 1900". In: Wikipedia. Disponível em: <pt.wikipedia.org/wiki/Censo_demográfico_do_Brasil_de_1900>. Acesso em: 12 ago. 2015.

2. Cristiane Cardoso. "Expectativa de vida dos brasileiros sobe para 74,9 anos, diz IBGE". Disponível em: <g1.globo.com/ciencia-e-saude/noticia/2014/12/expectativa-de-vida-dos-brasileiros-sobe-para-749-anos-diz-ibge.html>. Acesso em: 12 ago. 2015.

perto dessa idade; na verdade, ele começa até um pouco antes. Segundo um estudo feito na Universidade da Virgínia em 2009 — e acreditem, é um estudo sério, nós não inventamos —, nosso cérebro atinge seu auge muito jovem, aos 22 anos, e começa a declinar ainda jovem, aos 27 anos, fazendo com que aos 27 já não sejamos mais tão jovens assim.[3]

Mas não é só no cérebro que as mudanças acontecem. Aos trinta o mundo nos apresenta um "pacote de cobranças" que começa dizendo que agora temos que finalmente ser maduras e adultas e, por adultas, o mundo entende que temos que ter sucesso profissional, amoroso, financeiro, pessoal e ainda ter que pensar em constituir uma família nessa década que começa.

Ao mesmo tempo, o "pacote de cobranças" começa a exigir uma juventude eterna, como se fosse nossa obrigação ser adultas, maduras, bem-sucedidas, casadas, com filhos, e ao mesmo tempo jovens, magras, maternais, femininas e doces.

No Brasil, o país da cirurgia plástica, que em 2014 passou a liderar o ranking mundial[4] — só em 2013 foram realizadas 1,49 milhão de plásticas aqui —, fazer trinta é como entrar em um portal cheio de cosméticos, tratamentos e cirurgiões nos esperando com a promessa de nos salvar, congelando nossa cara e nossa bunda para continuarmos para sempre com vinte.

Talvez fazer trinta seja um dos momentos mais cruéis da vida,

---

3. "Old age begins at 27: Scientists reveal new research into ageing", 15 mar. 2009. Disponível em: <dailymail.co.uk/sciencetech/article-1162052/Old-age-begins-27-scientists--claim-new-research.html>. Acesso em: 12 ago. 2015.

Timothy A. Salthouse. "When does age-related cognitive decline begin?". *Neurobiology of Aging*, Charlottesville, p. 507-514, 20 fev. 2009. Disponível em: <faculty.virginia.edu/cogage/publications2/Salthouse%20(2009)%20When%20does%20age-related%20cognitive%20decline%20begin.pdf>. Acesso em: 12 ago. 2015.

Joseph J. Thompson, Mark R. Blair, Andrew J. Henry. "Over the hill at 24: Persistent age-related cognitive-motor decline in reaction times in an ecologically valid video game task begins in early adulthood". Disponível em: <journals.plos.org/plosone/article?id=10.1371/journal.pone.0094215>. Acesso em: 12 ago. 2015.

4. "Brasil supera EUA e lidera ranking de cirurgias plásticas no mundo", 29 jul. 2014. Disponível em: <noticias.uol.com.br/saude/ultimas-noticias/estado/2014/07/29/brasil-supera-eua-e-lidera-ranking-de-cirurgias-plasticas-no-mundo.htm>. Acesso em: 12 ago. 2015.

porque você ainda é muito jovem, mas está começando a conhecer a palavra "velha", está entre o "fique madura automaticamente" que a sociedade cobra e o "não fique velha jamais" que a sociedade cobra mais ainda, e que vai durar até o fim da sua vida — pois os homens vão sendo considerados charmosos e vividos à medida que ficam mais velhos. E as mulheres vão sendo consideradas apenas velhas.

Então aos trinta você começa a ficar velha? Sim, cientificamente os estudos comprovam.[5] Mas não tão velha quanto a sociedade te considera e vai te considerar mais ainda daqui para a frente.

Mas, por favor, não ligue para o que a sociedade acha, pois ela deve estar te achando velha desde que você era um bebê — inclusive você também devia ser um bebê meio acima do peso, que não usava as roupas ideais pro seu tipo de corpo, e seu corte de cabelo não te favorecia em nada, só sua pele estava na melhor fase, mas pena que você era imatura demais pra perceber isso.

Geração Y

Se você, como nós, nasceu entre 1980 e o comecinho dos anos 90, já cansou de ouvir que é uma integrante da geração Y. Diz a internet que somos inventivas, dinâmicas, temos facilidade para aprender e somos globalizadas, mas a internet também diz que somos inseguras, imaturas e acomodadas. Juramos que a culpa não é nossa e, para entender isso, fizemos uma pesquisa séria e tivemos que prestar atenção por mais de cinco minutos em um assunto — algo que, todos sabem, é impossível para a geração Y.

Para entender a nossa geração, fomos estudar as gerações que vieram antes dela, mais precisamente os *baby boomers* e a geração X. Aproveite esse momento de informação e seriedade para tirar uma foto dessa página e compartilhar, porque todos vão saber que você lê assuntos realmente importantes.

---

5. Luiz Fujita. "Como o ser humano envelhece?". Disponível em: <mundoestranho.abril.com.br/materia/como-o-ser-humano-envelhece>. Acesso em: 12 ago. 2015.

Os baby boomers são as pessoas nascidas durante ou depois da Segunda Guerra Mundial, entre 1943 e 1960. O termo baby boomer ficou conhecido por conta do aumento da natalidade nos Estados Unidos após o fim da guerra, quando o país foi povoado por muitos bebês. Essa geração ficou jovem durante a década de 1970 e viveu várias mudanças sociais e culturais. Muitos deles foram os hippies que lutaram por paz e amor mas, quem diria, cresceram e valorizam o emprego estável, e construíram carreira em empresas, até chegar a hora de se aposentar. Baby bommers também podem ser identificados como seus tios mais velhos que não entendem quando você diz que é freela ou quando prestou vestibular para cursos de arte, moda ou design.

A geração X nasceu entre o início dos anos 1960 e o final dos anos 1970, e foi a primeira a crescer acompanhada da TV. Nos anos 1960 a TV chegou às casas como um aparelho acessível, moderno e necessário, tipo o que o smartphone é hoje pra gente. Ficar assistindo TV teve um resultado parecido com o que sentimos todos os dias olhando o nosso iPhone: os jovens começaram a querer consumir, ter aqueles produtos, ter aquela vida.

Para o especialista em gerações Sidnei Oliveira, que conversou com a gente pelo Skype, pois somos da geração Y e não usamos telefone, a geração X cresceu extremamente consumista: "Eles desejaram muito quando crianças, mas não puderam ter tudo o que queriam, pois tinham mais irmãos e os pais não conseguiam atender a todos esses sonhos e desejos". Lembre dos seus pais, que provavelmente são baby boomers ou nasceram no comecinho da geração X: quantas vezes você já ouviu eles falando que quando eram crianças "não tinham tudo igual você teve", "só ganhavam presente no Natal", "tiveram que juntar moedinha por moedinha para comprar algo depois de anos". E agora lembre de quantos brinquedos você teve enquanto crescia, quantas Barbies, quantas vezes foi muito mais mimada que eles. Independente da sua classe social, provavelmente teve muito mais facilidades na hora de ganhar uma boneca.

A geração X também pode ser identificada como a culpada por nos estragar quando crianças, nos dando tudo o que tiveram vontade enquanto assistiam televisão mas não podiam ter. Eles casaram e tiveram filhos antes dos trinta, porque pra eles ter filhos e estar em um casamento era sinônimo de responsabilidade e assim eles conseguiam promoções no trabalho. São seus tios mais novos, que têm várias referências pop que você gosta, mas que sempre trabalharam com a mesma coisa e que te acham uma mimada até hoje, sem perceber que quem te mimou foi a geração deles.

A geração Y somos nós, que temos entre 25 e trinta e poucos anos e tivemos a sorte inenarrável de saber o que é um Pogobol. Também tivemos a sorte de ser a primeira geração a ter a chance de usar a internet desde cedo, o que mudou nossa vida e também nossa cabeça. Fomos nós os primeiros a ter mais acesso a informação e crescemos escrevendo redações sobre uma nova palavra que tinha vindo para ficar, a tal da "globalização". Fomos a primeira geração a ser realmente globalizada, precisamos, mais do que nunca, aprender inglês, para ler os sites da internet e falar com pessoas do mundo todo; não precisamos mais esperar a televisão nos contar nada, nós descobrimos sozinhas tudo o que quisermos. Nossos pais e tios baby boomers e da geração X acharam que estávamos malucas e alguns até acreditaram que teríamos problemas de saúde por ficar na frente de uma máquina estranha chamada computador, que eles achavam que ia sair de moda como um videogame.

Mas por mais maravilhoso que seja ter nascido na geração Y, o mundo nos apresentou inúmeras crises e angústias tão novas quanto o Windows 93 na nossa adolescência.

Crise dos trinta da geração Y

Temos uma boa notícia pra você: sim, existe mesmo uma crise dos trinta anos e você não estava ficando louca por se sentir completamente perdida e angustiada. Essa crise tem uma explicação e a melhor maneira de enfrentá-la é entender por que e como ela aparece para a nossa geração. Pensando na crise dos trinta da geração X, dos baby boomers e da realidade da mulher de trinta anos do Balzac, que inspirou o termo "balzaquiana", o que a nossa crise tem de diferente?

Segundo Sidnei Oliveira, o cara da geração e autor do livro *Geração Y*,[6] a crise dos trinta é um misto do modelo atual da sociedade com resquícios do modelo antigo, e no meio dessa mudança de modelo social é bem normal que as gerações fiquem um pouco perdidas. Resumindo, sobrou pra gente. Olha o que ele diz:

> Por ter sido protegida demais pela própria família e também por ter menos irmãos, a geração Y é uma geração que não precisou dividir as coisas e não criou cascas e cicatrizes para enfrentar os tombos da vida. Ganharam tudo muito mais fácil, já que tiveram pais que acabaram realizando os próprios desejos através deles. Essa postura de pais que são mais amigos do que pais faz com que essa geração tenha dificuldade em respeitar a hierarquia, principalmente no ambiente de trabalho, e por ter tido sempre acesso a muita informação, essa geração acha que já sabe tudo. É mal acostumada e quer fazer apenas o que gosta, mas isso é uma utopia.
>
> Com o aumento da expectativa de vida que, desde os baby boomers, só cresce, a geração X passou o recado para a Y de que sim, os trinta anos são apenas o começo da vida, mas o que acontece é que a geração Y, ao receber essa mensagem, acaba não se preparando para a vida adulta durante os seus vinte anos, ou seja, ela chega aos trinta ainda muito despreparada e essa bolha de proteção em que eles foram criados desaparece magicamente, afinal aos trinta você tem que ser adulto, aos trinta não aceitam mais a desculpa de que você ainda é muito jovem.

Resumindo, a angústia é: te mimaram, te protegeram de tudo, te fizeram acreditar que você é tão especial a ponto de só fazer o que gosta e disseram para você não se preocupar com nada aos vinte porque era pra curtir e aproveitar a juventude. Mas de repente você chegou aos trinta.

---

6. Sidnei Oliveira. *Geração Y: Ser Potencial Ou Ser Talento? Faça Por Merecer.* São Paulo: Integrare, 2011.

E por ter aprendido desde cedo que você tem que fazer o que gosta e ser muito feliz, já que é muito especial, aos trinta parece que não se realizou em nada, pois teve que trabalhar em vários lugares para ganhar um salário e pagar as contas, teve que pegar muito ônibus lotado, teve que engolir muito sapo do chefe que você nem acha tão bom assim (afinal temos problemas com hierarquia), e parece que só quando chegar o seu grande dia de mostrar para o mundo que é uma pessoa tão única e que vai ser rica e bem-sucedida fazendo o que realmente ama tudo vai estar certo.

Até esse dia chegar está tudo errado e em crise, e todos esses anos trabalhando, às vezes até em coisas que você amava mas que te fizeram perder o brilho no olhar porque a rotina desgastou, foram puro desperdício da sua vida. Ah, se soubesse que isso ia acontecer aos trinta, teria seguido seus sonhos aos 22 e já estaria milionária e proprietária de vários imóveis hoje.

Atenção, amigas da geração Y: nós que também somos dessa turma realmente largamos tudo para seguir nossos sonhos e ser felizes. Não frequentamos um escritório de segunda a sexta, não pegamos ônibus lotado, não aguentamos um chefe mala. Amamos escrever, mas, nesse exato minuto, é um feriado prolongado no Brasil e estamos na frente do computador em vez de estar no bar com nossos amigos, pois temos um prazo de entrega.

Mesmo quando você faz o que ama, uma parte de você chora porque não está no bar com seus amigos. Ah, e a riqueza não chega — na maioria dos casos.

2

AOS TRINTA VOCÊ NÃO ACOMPANHA MAIS A EVOLUÇÃO DA INTERNET?

Muito obrigada por estar lendo nosso livro. Sabemos que não é fácil hoje em dia tocar em papel (interessante esse material, não?). Ele foi inventado na China no século II, gostou? Vimos em um site... ah, desculpe, não sabe o que é site? É um espaço na rede mundial de computadores que contém muita informação e pode ser atualizado, tipo um blog, sabe? Ah, esquecemos que blog é uma coisa meio antiga já, mas são páginas virtuais em que as pessoas escrevem o que pensam ou sobre o que gostam — se estiver no computador de bobeira alguma hora tente procurar no Google sobre eles. Poxa, tem razão, ninguém mais usa computador; tenta no celular.

A internet mudou muito desde que criamos o nosso primeiro e-mail no Zipmail, pegamos o primeiro vírus no computador da família e choramos porque o CD de internet grátis era uma enganação. Usávamos internet pra pesquisar coisas e ler sobre o que gostávamos, eventualmente para conhecer pessoas.

Hoje a internet é uma ferramenta para as pessoas mostrarem cada passo de suas vidas. Aos trinta estamos tão "ultrapassadas" que, quando éramos adolescentes, sonhávamos em ser famosas na TV. Hoje as pessoas sonham em ser famosas na internet.

Todo mundo pode ser muito famoso na internet, todo mundo mesmo. Não precisa mais nem ser superbonita ou supertalentosa ou saber falar direito pras câmeras, isso é um conceito anos 90 demais que ficou com a televisão. Pra ser famosa na internet é só mostrar muito sua vida e sua cara e falar muito o que pensa, mas, na maioria das vezes, as pessoas preferem falar mais sobre elas do que sobre o que elas pensam e isso faz mais sucesso ainda com os seguidores e "viewers".

Agora todo mundo pode decidir transformar sua vida em um reality show e fazer um vlog mostrando o que faz, os lugares que frequenta, se viajou, quem são seus amigos e suas visitas ao médico. Lembra que no passado fazíamos isso pelo Instagram, postando fotos? Agora as pessoas fazem o próprio programa, como se elas fossem o Amaury Junior delas mesmas. Até os casais fazem vlogs sobre o dia a dia deles. E podemos assistir ao primeiro beijo, a tensão de uma pílula do dia seguinte, todas as crises e também acompanhar as DRS no canal do YouTube do casal. Pra gente que viveu metade da vida sem internet, isso é muito chocante.

Imagina ter sua adolescência inteira registrada no Google, incluindo a sua cara cheia de espinhas? Ou dividir com o público (seus seguidores) todas as vezes que causou em festas? Achamos que as raves não entram na moda de novo porque seria muito difícil pra geração de agora registrar toda aquela loucura e excessos em redes sociais; além disso, como pegaria 4G lá e onde carregariam o celular para continuar a cobertura de cada momento da rave? Não tem como, a não ser que as raves criem uma megaestrutura de wi-fi e disponibilizem tomadas para as pessoas entregarem essas imagens para o público.

Internet é um assunto que interessa tanto as pessoas — sobretudo a parte de "como ser famosa na internet" ou "como ganhar dinheiro porque ficou famosa na internet" — que este capítulo está no começo do livro justo pra você se animar e achar que vai sair daqui rica e famosa na internet. Leia até o final que te contamos como.

Nossa vida no mundo da internet muda tão rápido que falar "o mundo da internet" já é coisa de "tiozão", e a palavra internet já é superantiga, uma coisa meio *vintage* usá-la. Redes sociais são antiquadas também, nós usamos porque somos saudosistas, pois hoje em dia é tudo aplicativo e, talvez quando este livro chegar da gráfica, aplicativos já sejam super *old school* também.

E-mail é uma coisa tão antiga que serve para trabalho, combinar um horário para falar pelo Skype ou para falar sobre cobrança. Mensagem de WhatsApp digitada também já parece coisa do século passado — quem tem paciência para digitar quando se pode gravar um áudio?

Aos trinta é uma batalha acompanhar a velocidade da mudança dos aplicativos, e é uma coisa real, porque você vê vários amigos seus desistindo de entrar nessa corrida. Caso você se dedique a entender tudo o que acontece e baixar tudo, acaba virando uma gênia na sua turma, que sabe tudo antes de todo mundo e já enjoou de aplicativos de que eles nem ouviram falar. Nesse caso, você provavelmente vai virar uma espécie de técnica em computação para o pessoal que ainda usa o termo "computação".

Dá um pouco de solidão ver que, aos trinta, seus amigos não acompanham você nessa onda de baixar novos aplicativos e querer aprender a mexer, então você vai ficando sozinha nesses novos aplicativos, ou cria uma nova turma de amigos por lá, amigos mais jovens.

É que com o tempo vai ficando mais difícil entender a funcionalidade de cada novo aplicativo, principalmente porque eles são cada vez mais modernos e criados para jovens que nasceram com um iPad na mão. Na verdade, até o iPad já está velho e não sabemos dizer o que os jovens usam, afinal nossas primas adolescentes nos acham tão velhas que nos bloquearam no Instagram.

Se você não está a fim de baixar nenhum aplicativo novo mas também não quer ser uma pessoa tão por fora, organizamos um dicionário do que está "pegando" e do que não está mais "pegando" enquanto escrevemos este livro. Pegando já é uma gíria que não está pegando, para começar. Não nos responsabilizamos pelo prazo de validade desse dicionário, pois quando o livro for lançado talvez tudo isso pareça mais velho que a Enciclopédia Barsa.

➔ **Snapchat:** o novo Instagram, só que não parece o Instagram. Não dá para stalkear pessoas que você não segue, não dá para saber quantos seguidores uma pessoa tem, mesmo que você siga ela, e tudo o que você posta lá se autodestrói depois de certo tempo. Dá para postar fotos e fazer vídeos e os jovens começaram a usar mandando *nudes*, que é a paquera da juventude. Em vez de paquerar um menino ligando para ele e desligando na cara quando ele atender, na paquera atual aparentemente você manda fotos de sutiã para ele.

➔ **Periscope:** um aplicativo em que você entra ao vivo para o mundo todo e fala com as pessoas que te seguem ou que entram para ver quem é você. Essas pessoas te assistem e podem mandar perguntas. Você pode se filmar conversando ou mostrar algo interessante, lugares, coisas belas — mas claro que fará mais sucesso se você se filmar. É lá que os jovens falam com seus fãs que assistem seus vlogs no YouTube para ficar mais próximos do seu público fiel.

➲ **Instagram:** outrora um aplicativo para postar sua vida em fotos e vídeos, que agora já é mostrada no Snapchat, Periscope e em seu vlog. Hoje em dia o Instagram é muito discreto e quase um portfólio para suas melhores fotos, com um pouco de nostalgia do que já foi, mas ainda é uma das melhores ferramentas de stalking e um arquivo de imagens suas para quem te conhecer em apps de paquera conferir se você é bonita mesmo ou se mentiu.

➲ **Facebook:** uma boa maneira de organizar seus amigos, mandar mensagem para eles e ser avisado de quando são os aniversários e quando te chamam para festas. Pode ter outras duas funções: seguir tudo o que gosta de ler e receber os links mais falados do dia para se atualizar ou ter o desprazer de ler muitas coisas que não gostaria, vindas de pessoas que considera, mas que, por causa do Facebook, passa a reconsiderar, voltando então para sua grande função de organizador de amizades. É antigo, mas superfuncional.

➲ **Twitter:** é como se fosse a sua família, mas a que você escolheu por afinidade. Uma comunidade de pessoas legais que têm bom humor e adoram zoeira, mas que também assistem as mesmas coisas que você na televisão e compartilham notícias. Tudo acontece por texto, em curtas mensagens de 140 caracteres. O Twitter é velho, mas é um bom lugar.

➲ **YouTube:** a nova televisão, mas sem tanta variedade de conteúdo fácil de encontrar como era a televisão na época que "ela existia" e só precisava de um controle. É basicamente sobre as pessoas que aparecem nele, que geralmente ficam sentadas falando alguns minutos sobre algo diante de uma câmera. Também um ótimo lugar para encontrar vídeos antigos da Xuxa nos anos 80.

➲ **Televisão:** antigo aparelho criado para fazer funcionar o Netflix numa tela maior que a do seu computador. O Netflix é conhecido como um mundo ideal de filmes, documentários e séries que deveriam ser a nossa ocupação principal na vida, mas infelizmente precisamos trabalhar.

➔ **Computador:** aparelho criado para você abrir várias abas e só ler duas. Muito bom para responder e-mails com calma e stalkear as pessoas sem curtir algo sem querer com seu dedo gordo.

3

TODAS AS VEZES QUE ALGUÉM DE TRINTA PARECIA SER MUITO VELHO, MAS NÓS É QUE ÉRAMOS SEM NOÇÃO MESMO (E ESTÁVAMOS CLARAMENTE ENGANADAS)

➲ **Quando caras de trinta anos vinham nos xavecar em festas** e no dia seguinte ligávamos pra todas nossas amigas adolescentes para dizer que além de encontrar um cara de trinta anos numa festa, ele ainda veio falar com a gente, e acabávamos apelidando ele de Marcelo 31 ou Paulo 34.

➲ **Toda vez que líamos dicas sobre moda e corte de cabelo aos trinta,** afinal, por que uma senhora de trinta anos queria tanto estar na moda?

➲ **Quando começamos a trabalhar e, no nosso primeiro estágio, o chefe tinha trinta anos,** e além de velho, ele era chato. Ele não usava roupas legais, achava que happy hour era balada e tinha coragem de ir para o bar com a mesma roupa que ele usava no escritório.

➲ **Quando os personagens de *Friends* fizeram trinta anos** e nós sentimos um misto de tristeza e orgulho por gostar tanto de pessoas tão mais velhas que a gente.

➲ **Toda vez que um esportista se aposentava por algum problema no joelho e virava técnico da seleção,** e parávamos de ser a fim dele porque agora já era velho demais e não sairia mais no pôster da revista *Todateen*.

➲ **Toda vez que uma modelo fazia trinta e anunciava seu último desfile da carreira** porque agora ela iria se dedicar à família e perdíamos o interesse pela vida dela, as roupas que ela usava, e basicamente esquecíamos dela na mesma semana.

➲ **Quando algum VJ da MTV ia pra outra emissora fazer um programa chato e sério** e sentíamos alívio porque chegava um VJ novo de vinte anos, que realmente ia entender de música, afinal música não era coisa de velho.

➔ **Quando alguém de trinta anos vinha dar algum conselho de como xavecou e começou a namorar alguém,** e dava até uma minirrevolta de uma pessoa tão mais velha que a gente ainda ficar falando de xaveco e beijo na boca.

➔ **Quando uma atriz protagonista de novela tinha trinta anos** e a gente tinha preguiça de acompanhar aquela trama em que uma mulher tão mais velha vivia conhecendo caras e se envolvendo em triângulos amorosos em vez de ficar em casa sendo velha.

➔ **Quando a sala de bate-papo do Uol era dividida por idade** e a gente via a de trinta a quarenta anos e pensava que provavelmente só daqui a oitenta anos falaria com pessoas de trinta ou quarenta anos.

➔ **Quando na sessão da tarde passava o filme *De repente trinta*,** uma história sobre uma menina de treze anos que acordava nesse pesadelo que era ter trinta anos e ter que trabalhar, fazer ginástica e arrumar a própria cama.

➔ **Quando alguma amiga nossa perdia a virgindade com um cara de 26** e quase chorávamos porque ele era o homem mais velho com quem a gente tinha algum tipo de contato, ou seja, claramente pensávamos que com trinta anos ele já poderia ser avô.

4

MELHOR DEIXAR PRA TRÁS: QUEREMOS MUDAR O MUNDO

Aproveitando que fizemos trinta anos, a "idade da maturidade", sugerimos que todos deixem para trás as imaturidades a seguir (na verdade, seria bom deixar essas imaturidades para trás em qualquer idade).

➲ **Narrar e ilustrar o seu relacionamento nas redes sociais o tempo inteiro.** Nada pode ser mais chato. Vamos ficar curiosas pra ver? Vamos, sim! Quem não gosta de revista de fofocas? Todo mundo gosta, e mostrar o namoro nas redes sociais é tipo isso. Mas, pelo seu bem, não precisa nos contar por fotos, vídeos e legendas toda vez que estão felizes, apaixonados, com saudades, tristes, brigados, ou quando dão um tempo e depois voltam mais apaixonados ainda. Sugestão: faça um diário. Você se expressa do mesmo jeito mas não precisa dividir com todo mundo seus sentimentos. Note que queremos te preservar, não tem nada a ver com inveja ou recalque, palavras que todos amam usar mas que também são imaturas demais para os trinta.

➲ **Recalque.** Não estamos falando de sentir recalque, mas de falar que os outros sentem recalque. Hoje discordar de uma pessoa ou criticar é recalque, não querer ser a pessoa é recalque. Mas toda vez que alguém usa o termo "recalque" para acusar uma pessoa, automaticamente volta para a quinta série da imaturidade emocional. Sugestão: encontre um termo mais maduro que recalque e pare de ser egocêntrica(o) e achar que as pessoas se preocupam tanto assim com a sua vida a ponto de te invejar e ficar recalcadas. Somos todos poeira cósmica no universo.

➲ **Rancor e mágoa** são duas coisas que temos que trabalhar e, como estamos falando agora de imaturidades e repensar a vida, vamos tentar trabalhar isso também. Não olhar na cara e não falar oi para pessoas que você teve desentendimentos no passado — por causa de um namorado, trabalho, faculdade, um vestido emprestado — já chega, não? Já dá pra falar oi em uma festa, ser educada e evitar climões. Sugestão: ser educada é a melhor coisa sempre, nem que você tenha que dar o primeiro passo, aliás, se você der o primeiro passo da educação, ficaremos muito orgulhosas.

➔ Seguindo por essa linha, já pode parar de **odiar pessoas com quem brigou e nem lembra por que, ou mesmo as que lembra,** pode parar de odiar. Entre com a gente na corrente da positividade e vamos pensar coisas boas. Odiar faz mal e deve ser aplicado apenas a deputados homofóbicos e machistas, que não serão citados pelos nomes, pois não damos ibope para maluco. Sugestão: leia o livro da Malala e mentalize um mundo melhor.

➔ Se você tem tempo livre, olhe que dádiva a vida te proporcionou. Tempo livre é o que todos querem, ele pode ser aplicado em cursos, Netflix, ler livros, dormir, marcar dates do Tinder, assistir todos os filmes vencedores do Oscar de todos os últimos anos. Meu Deus, que sonho! Mas **usar seu tempo livre para fazer um perfil fake para xingar ou tentar fazer alguém se sentir mal,** francamente! Aos quarenta você vai estar fazendo o quê? Falando de recalque? Sugestão: use seu tempo livre com coisas que façam bem para você e para o mundo, pois você vive neste mundo e quer que ele seja um bom mundo, então mandar energia negativa para ele também te afeta.

➔ **Não aceitar que cada pessoa faz o que quer da vida dela, que se veste como quer, fica com quem quer e usa como quer o próprio dinheiro.** Cada um tem que fazer o que está a fim e tem vontade e a vida é assim. Exemplo: se você está lendo esta lista de dicas para não ser imatura aos trinta e achando uma porcaria, e decidiu que não quer fazer nada disso e acha a gente imatura por estar fazendo uma lista dizendo que essas atitudes são imaturas, aceitamos. Porque somos maduras e já aceitamos que cada um faz o que quer com a própria vida. Sugestão: aceita!

➔ **Gastar todo o seu tempo stalkeando pessoas pra falar mal e não ler uma coisa produtiva** por dia. Nós amamos stalkear, stalkeamos várias vezes ao dia. Stalkeamos nossos amigos, familiares, pessoas que amamos e também pessoas de que não gostamos. Todo mundo stalkeia. Stalkear uma pessoa que você admira pode até te motivar, mas uma pessoa que você odeia, não te faz bem. Como sabemos que é quase impossível parar de stalkear quem a gente não gosta, porque a curiosidade é muito grande, que tal balancear esses momentos inúteis com momentos úteis? Sugestão: para cada aba aberta com o perfil de alguém que você "persegue", abra uma aba com uma notícia, um texto interessante ou tire um zen tarô do guru Osho, assim você organiza melhor seu tempo e se ajuda.

➲ **Achar que o mundo gira em torno do seu umbigo.** Já falamos sobre pessoas "viciadas em recalque", mas só para lembrar: o mundo não gira em torno do umbigo de ninguém. Uma dica: tente aprender a falar com as pessoas sobre outros assuntos que não você. Sugestão: deixe as pessoas falarem delas, fale sobre assuntos que te interessam e se interesse por assuntos que não sejam você; se não tem nem ideia de por onde começar, pesquise no Google por "assuntos interessantes" ou fale sobre esse livro; já pode ser um bom começo. Nós achamos ele superinteressante.

➲ **Começar a namorar e sumir de todos os amigos.** Pior do que ser uma pessoa egocêntrica e viver só pra você é se anular e viver só pra uma outra pessoa. Gente, quantos anos vocês têm? Em qualquer idade isso é péssimo. Seus amigos eram um "estepe" para você conseguir suportar a vida quando estava só? Porque se for isso mesmo já avise todos eles pra seguirem em frente e terminarem com você, que deve ser uma pessoa muito estranha. Sugestão: tenha noção.

➲ **Ser descontrolada com bebidas e drogas e nunca conseguir ter uma conversa normal, conviver com as pessoas e ter sensações reais.** Cada pessoa faz o que quer da sua vida e usa o que quer, afinal a vida e o corpo são dela, mas é muito, muito chato conviver com alguém que nunca consegue se controlar e conviver normalmente. Sabemos que isso não tem a ver com idade, mas se você precisa ficar 24 horas por dia sob efeito de álcool ou drogas, você precisa de ajuda, e não é ajuda dos seus amigos que têm que te aguentar causando, é ajuda séria mesmo. E isso é muito sério. Se você leu essa parte e se identificou, tente se ajudar. Juramos que a vida também pode ser legal em momentos sóbrios e é normal também a vida não ser legal o tempo todo, em momentos sóbrios ou alterados. Sugestão: leve esse parágrafo do livro súper a sério e se cuide. Adoraríamos receber boas notícias suas em breve.

➔ **Viver pra ser bonita.** Que fique claro que ser saudável é diferente de viver pra ser bonita. Gosta de fazer academia? Que ótimo, faz superbem pra saúde e autoestima. Gosta de fazer tratamentos estéticos às vezes? Se tem dinheiro e está afim, legal. Mas viver pra isso todos os dias, entrar em uma angústia eterna de que nada está bom, só falar disso, sufocar as pessoas em volta de você com isso, não dá. Pare, por favor. Você nunca vai atingir um padrão de beleza, porque padrões de beleza são feitos para não serem atingidos, e para você ficar gastando seu dinheiro tentando seguir ele e ficar se achando feia e asquerosa sempre, pois de outro modo o mundo não ia ter dinheiro, já que você não gastaria com quase nada (até o carro que você compra tem alguém "perfeita" dirigindo na propaganda pra te dizer que se você comprar vai ser perfeita também; até a geladeira que você compra tem uma mulher inatingível posando ao lado). É só uma sugestão, mas pense que se você quer mesmo viver pra ser bonita, jamais conseguirá atingir seu objetivo, porque até o padrão de beleza muda, e quando você conseguir ser o padrão de hoje, vai mudar tudo e já vai ser outro tamanho de peito, outro nariz, outra barriga, outro cabelo. Que tal viver para ser feliz? Ou viver para fazer do mundo um lugar melhor? Ou viver para atingir nota máxima no caraoquê? Sério, tantas coisas pra se viver.

➔ Agora está na hora de termos uma DR. DR, para quem não sabe, significa discutir a relação. É imaturo demais, chega até a ser um pouco vergonhoso, essa coisa de "minhas inimigas". **Achar que mulheres são suas inimigas ou que elas são mais competitivas que os homens** ou que os homens são amigos mais confiáveis é meio complicado. Inimigos você pode até ter na vida, e esperamos que não tenha, mas eles podem ser homens ou mulheres; competição você vai enfrentar muito, com homens e mulheres; e amigos em que não podemos confiar, infelizmente, podem ser homens, mulheres, gays e héteros. Fofoca também, todo mundo faz, parem de dizer que fofoca é coisa só de mulher, por favor. E assim como o recalque, que já devia ter sido superado do início deste capítulo até aqui, é preciso superar essa história de "inimiga", porque como nossa amiga drag queen maravilhosa Filippa Chiquitita já profetizou com toda sua sabedoria: "quem tem inimiga é Power Ranger".

5

AOS TRINTA VOCÊ JÁ SE ENCONTROU PROFISSIONAL-MENTE?

Nos dias de hoje, uma escritora também é dançarina, uma estilista também é maquiadora, uma jornalista também é astróloga e até uma cirurgiã pode ser também fotógrafa. É tão normal para a nossa geração ter mais de uma profissão ao mesmo tempo que ficou impossível explicar para a família o que a gente faz ou o que alguém que namoramos ou ficamos amigas faz.

Ficou impossível até pra nós mesmas explicar em um LinkedIn o que fazemos. Existem as profissões que todo mundo conhece desde sempre, como médica, advogada, engenheira, professora etc., e existem as profissões com nomes malucos, mas que geralmente misturam a palavra "criativa" com "digital" com "comunicação" com "conteúdo" com "personal". Também existem as profissões que não podem ser definidas com um nome, que são basicamente fazer várias coisas, vários "corres".

Nós mesmas pensamos em qual seria a nossa definição profissional e descobrimos que é tipo "responder e-mails", pois tudo que fazemos envolve e-mails o dia todo, e, no intervalo de responder e-mails, escrevemos este livro.

Nosso trabalho de responder e-mails entrou em crise perto dos trinta anos. Uma década depois de sairmos da escola tendo certeza do que queríamos fazer (responder e-mails), começamos a perceber que esse emprego talvez não dê o retorno financeiro que sempre sonhamos, talvez não preencha o vazio da vida, não se encaixe em nossas ambições e não pareça ter chances de nos fazer crescer profissionalmente, pois depois de responder e-mails, a que seremos promovidas? Responder mensagens de WhatsApp o dia inteiro?

Brincadeiras à parte, é muito normal chegar aos trinta e sentir milhões de dúvidas em relação a sua vida profissional. Geralmente em uma conversa sobre o trabalho, você diz que está completamente perdida e a resposta de uma amiga ou amigo que ouve seu desabafo é "mas eu também estou". Pode reparar: pessoas que ganham bem, pessoas que ganham pouco, pessoas que amam o que fazem, pessoas que odeiam, pessoas freelas, contratadas e até donas do próprio negócio, ninguém sabe direito o que quer fazer da vida aos trinta.

E dizem que nunca saberemos, mas talvez seja melhor ignorar essa informação para não chorarmos em cima deste livro e manchar a página.

Então sem choro, vamos tentar resolver isso juntas. E para nos ajudar, chamamos a coach & consultant de carreira Daniela Gebenlian, que, como vocês podem ver, tem uma profissão com um nome moderno como as citadas anteriormente.

Como a própria Daniela nos explicou, uma coach é uma profissional com quem construímos, a quatro mãos, um plano de carreira para atingir os nossos objetivos: transição de carreira, de emprego, ser promovida, ter mais qualidade de vida etc. Juntas descobriremos quais são esses objetivos, desenvolveremos competências que sejam necessárias para isso e desenharemos um plano factível para chegar lá.

Independente da sua idade, você pode entrar nesse exercício com a gente, porque o coaching pode ser feito em qualquer momento da vida, até mais de uma vez, já que mudamos muito com o passar dos anos. Mas antes vamos mostrar uma entrevista superséria e adulta com a Daniela, que vai deixar nossas mães orgulhosas e que está superinteressante.

➔ É comum as pessoas entrarem em crise e dúvidas aos trinta e recomeçar a vida profissional?

Muito comum entrar em crise. Mais comum ainda trocar de emprego ou rumo dentro do grande leque de carreira que estavam, para não recomeçar totalmente do zero. Mas cada vez mais as pessoas têm tido coragem para ser feliz e recomeçar totalmente a vida profissional. Essa crise tem a ver com as armadilhas da escolha aos dezessete anos. Com trinta, as pessoas têm o primeiro vislumbre de que não serão jovens para sempre e que "para sempre" ainda é muito tempo fazendo aquilo que elas detestam. Elas têm maturidade suficiente para entender isso, tomar a decisão e enfrentar a família e os amigos (ou ignorar a opinião deles) e mais recursos financeiros para bancar uma virada de carreira.

É uma idade que as pessoas se questionam — era aqui que eu queria estar aos trinta anos? Se eu, quando tinha dez anos, visse minha vida hoje, eu me daria parabéns ou um chute na bunda?

Então já vi casos de pessoas que foram fazer medicina aos 35 anos, psicologia aos trinta, que largaram a medicina pra fazer arquitetura aos 35, pessoas que abandonaram promissoras carreiras corporativas aos trinta e foram virar piloto de helicóptero ou de avião. Fazer outra faculdade, estágio, começar do zero de novo — ou, às vezes, nem tão do zero. Depende da transição.

➔ Mas tem um limite de idade para decidir mudar o rumo profissional?

Não, nunca é tarde, falando estritamente de idade. Claro que algumas limitações podem surgir dependendo da idade, se for uma profissão que exija esforço físico, por exemplo. Mas as maiores limitações são relacionadas ao estilo de vida e dinheiro — se uma pessoa tem dois filhos pequenos e um financiamento imobiliário de vinte anos, ela tende a se arriscar menos do que alguém que não tem ninguém que dependa financeiramente dela nem compromissos financeiros de longo prazo.

➔ Vale a pena largar um trabalho que te paga muito bem mas te faz muito infeliz?

Se dinheiro fosse o primeiro item na lista das coisas que te fazem feliz, você não estaria infeliz. Como não é, podiam pagar o triplo que você ia continuar infeliz. Vá embora. Mas faça um plano antes.

➔ O que é um trabalho não saudável?

Qualquer um que cause problemas para a saúde (física ou mental) e para a vida da pessoa. Todo trabalho tem eventos que causam estresse, mas eles devem ser pontuais, passageiros e por pouco tempo. Mas se está prejudicando sua saúde, causando uma gastrite nervosa ou deixando você prostrado no sofá o fim de semana inteiro, ou acabando com seu casamento e fazendo você perder a infância dos seus filhos, fuja desse trabalho (mas com um plano!).

➔ As mulheres têm mais problemas com a carreira que os homens, por causa de salários menores, machismo no trabalho etc.?

Elas têm mais reclamações de processos seletivos machistas ou falam mais dos desafios que enfrentam para se provar em cargos de liderança, quando muitos são ocupados por homens, por isso sempre buscam estratégias ou desenvolvem competências para superar esses desafios.

➲ A gravidez ainda é considerada um problema no mercado de trabalho? Como você vê a relação das mulheres que orienta sobre essa questão?

A discriminação ainda existe em muitos lugares, mas nunca ninguém vai declarar abertamente, até porque pode gerar processos milionários. Mas é muito comum candidatas com o combo "casada — idade fértil — sem filhos" não serem contratadas para determinada vaga, porque o contratante não quer ter que ficar seis meses sem a profissional num futuro próximo. Também é comum ouvir a pergunta "você pretende ter filhos?" e coisas parecidas. Profissionais com filhos pequenos muitas vezes também sofrem discriminação por "deduzirem" que a mãe é que vai faltar quando o filho ficar doente.

Mas, como digo para meus clientes de coaching: se a empresa não escolheu você, foi melhor para você. Se você não tinha perfil aderente à cultura da empresa, foi melhor assim, pois você sofreria. Isso quer dizer também que se a empresa tem gente que pensa assim, ainda bem que você se livrou dela.

➲ Muitas mulheres mudam de carreira quando têm filhos?

Sim, mas não necessariamente de carreira como um todo. Às vezes, fazem a transição para uma empresa que tenha mais benefícios (como creche no local de trabalho), ou seja, mais perto de casa, ou que tenha uma qualidade de vida melhor (sem a cultura de que tem que ficar além do horário para ser valorizado), ainda que signifique um cargo ou um salário menor. Outras buscam sair dos empregos tradicionais e mudam de carreira, virando consultoras ou autônomas, para poder ter horário flexível e estar mais com os filhos. Mas muitas empresas também têm se flexibilizado nesse sentido para não perder seus talentos e suas lideranças — criando programas oficiais de home office para mães, oferecendo horários flexíveis, creche no local de trabalho e outros arranjos.

➔ Existem muitas pessoas que vivem ilusões de que vão criar um app e ficar ricas? Esses cases que lemos na internet atrapalham nossa realidade?

Existem muitas pessoas que acham que esses cases vieram de sorte e não de muito esforço, de vários fracassos, vários apps ruins e que não deram um real antes do app que deu dinheiro. Não existe sucesso e dinheiro sem trabalho e sem as competências (ter uma ideia inovadora, a disposição de passar horas trabalhando nesse projeto para tentar vender ou para que dê certo etc.). Não existe almoço grátis. Por isso, na hora de fazer um plano de negócios, a maior parte dos "empreendedores" desiste — pois dá mais trabalho que o "trabalho" atual.

➔ É "queima-filme" bater na porta das pessoas pedindo trabalho? Por que muitas pessoas têm vergonha de fazer isso?

Jamais! É a melhor maneira de encontrar trabalho, até porque as pessoas não têm bola de cristal para saber que você está em busca disso. Com as *timelines* tão cheias e algoritmos das redes sociais, nem todo mundo vê que você mudou de status ou postou algo assim. Então o *inbox* é a maior ferramenta de prospecção para um novo emprego. Às vezes aquela pessoa para quem você manda uma mensagem não tem uma vaga na empresa em que ela trabalha pra indicar você, mas quando abrir ela saberá que você está em busca, ou sabendo de vagas em outros lugares, também poderá indicar você.

As pessoas têm vergonha porque abordam da maneira errada. Você não está pedindo emprego para aquela pessoa; você, pessoa qualificada em tal coisa, busca emprego na área tal, e gostaria de ser indicada caso a pessoa saiba de vagas em que você possa se encaixar. É só abordar direitinho.

➔ O que vale mais hoje em dia, currículo, LinkedIn ou "quem indica"?

É uma combinação dos três — o currículo é importante, porque os processos de recrutamento e seleção não se modernizaram. Só extrair o PDF do LinkedIn e dar um currículo de quatro páginas na organização nativa do LinkedIn é pedir pra não ser bem classificado num processo. O LinkedIn tem que estar bem preenchido: muitas palavras-chave (como você quer ser encontrado nas buscas?), ter recomendações das pessoas com quem você trabalhou (é o novo depoimento do Orkut), adicionar as pessoas com quem você tem relação profissional, para que você esteja nas redes das pessoas e seja encontrado. A indicação é o que mais tem força para o seu currículo ser o primeiro da lista — mas só funciona se você tem a qualificação pra vaga.

➲ As redes sociais influenciam na hora de sermos contratados? O que é bom e o que é "queima-filme" demais?

Sim, as redes sociais são uma ferramenta muito poderosa, para o bem e para o mal, então é importante utilizarmos com consciência. Não são todas as empresas que olham ainda, mas, em tempos atuais, o networking é muito importante e, por consequência, sua reputação e imagem também. Nunca sabemos quem conhece quem e pode ser convidado a dar referências profissionais sobre você, mesmo só tendo sido seu colega na aula de ioga. Não poste o que seu chefe e sua mãe não poderiam ler.

➲ Se eu estou infeliz em um trabalho, largo tudo para dar um tempo ou continuo nele enquanto procuro outro em segredo?

Depende de quanto dinheiro você tem guardado, da situação econômica em que está e do seu mercado. Se estiver insuportável, enxugue os gastos, venda o carro e planeje sua vida para que você possa se sustentar com o que tem guardado por uns oito a doze meses.

➲ Arrumar um namorado em ambiente de trabalho atrapalha?

Se não houver conflito de interesses (chefe, subordinado, cliente interno, cliente externo) e houver maturidade suficiente de ambos, não atrapalha, não. É importante, no entanto, o casal ter assuntos, amigos e vida "zero trabalho" em suas horas fora de lá — evitar fofocas sobre o trabalho, só falar de trabalho e só sair com amigos do trabalho.

➔ E ter um caso com o chefe ou um subordinado?

Se ele é o homem da sua vida, peça demissão ou troque de departamento e vá ser feliz namorando o rapaz e trabalhando em outro lugar! Emprego a gente arruma outro. Mas se ele não for o homem da sua vida, decida de qual dos dois você gosta mais (dele ou do emprego) e escolha um. O conflito de interesses não é saudável nem para o trabalho nem pra autoestima. O julgamento pode ser atrapalhado ou questionado (Será que ele me promoveu porque eu sou competente ou porque namoramos? Será que ele me deu bronca em público porque ele é um líder ruim ou pra disfarçar que namoramos?) e isso vai deixar as duas relações ruins.

Agora que já leu tudo isso e refletiu sobre seu emprego, pegue uma caneta e vamos fazer alguns exercícios que a Dani nos passou, inspirados no livro *Business Model You*.[7]

Escreva tudo o que lembrar que adorava fazer até os vinte anos. Desde muito criança — onde você se lembrar — até o final da adolescência, quais eram as diversas coisas que você poderia passar horas e horas fazendo? Liste todas as coisas mais bestas — ninguém vai ler, só você. Sem pressa, lembre-se de tudo que puder, tudo o que fazia o tempo parecer voar.

7. Tim Clark. *Business Model You — O modelo de negócio pessoal*. Rio de Janeiro: Alta Books, 2013.

Revise a lista e diga: o que te empolgava em cada coisa dessas?
Exemplo: *desmontar coisas — entender como as coisas funcionam.*

Escreva aqui o que te empolgava em cada coisa:

"O que aparece de mais comum no que empolgava você? Isso dá uma boa ideia do que você deveria fazer na vida profissional — algo que traga a mesma empolgação dessas coisas. Porque essa lista é das suas aspirações mais genuínas e não contaminadas com ter que se encaixar em uma profissão e ter que dar dinheiro. Talvez, nesse exercício, você descubra que gosta da sua carreira. Só não gosta do atual emprego/chefe/empresa. Tem casos também de pessoas que buscam transição de carreira porque estão muito estressadas com o emprego atual, mas o problema era apenas o chefe", diz a Dani, nossa coach.

Tome como exemplo nossa lista ilustrativa, que tem um toque de humor com (bastante) fundo de verdade:

O QUE AMAVA FAZER:

1. JOGAR VIDEOGAME
2. JOGAR TARÔ PARA DESCOBRIR O FUTURO DAS PESSOAS, MESMO SEM SABER JOGAR TARÔ
3. JOGAR DETETIVE
4. JOGAR BANCO IMOBILIÁRIO
5. CORTAR CABELO DE BONECAS
6. CORTAR CABELO DE AMIGAS
7. CORTAR O PELO DO POODLE DA FAMÍLIA
8. CORTAR MEU PRÓPRIO CABELO
9. ACAMPAR DENTRO DE CASA COM BARRACAS DE LENÇOL QUE EU MESMA CONSTRUÍA
10. BRINCAR DE SER SECRETÁRIA E FICAR LIGANDO PRA MINHA AVÓ SEM PARAR

CAMI

O QUE ME EMPOLGAVA EM CADA UMA DESSAS COISAS:

1. VIVER DENTRO DE UM MUNDO LOUCO ONDE EU CONSEGUIA MATAR DRAGÕES E ME ALIMENTAR DE COGUMELOS
2. FAZER A MÍSTICA E DIZER PARA MEUS CLIENTES O QUE O FUTURO PROMETIA
3. IDENTIFICAR SE A PESSOA ESTAVA NERVOSA SÓ COM O JEITO DE OLHAR
4. COMPRAR PROPRIEDADES
5. EXERCER MEU DOM COMO CABELEIREIRA
6. EXERCER MEU DOM COMO CABELEIREIRA
7. EXERCER MEU DOM COMO CABELEIREIRA
8. EXERCER MEU DOM COMO CABELEIREIRA
9. CONSEGUIR FICAR MAIS TEMPO SOZINHA, SENDO QUE NA MINHA CASA JÁ NÃO TINHA QUASE NINGUÉM, PORQUE SOU FILHA ÚNICA
10. FICAR LIGANDO PARA A MINHA AVÓ

Seguindo essa lista eu serei então uma cabeleireira mística e manipuladora que tem muitas propriedades, e que curte comer cogumelos enquanto joga tarô e liga para a avó. Mas como essa profissão ainda não existe, segue uma **lista de possíveis profissões baseadas no exercício.**

1. *Programadora de jogos eletrônicos*
2. *Taróloga*
3. *Detetive particular*
4. *Corretora de imóveis*
5. *Cabeleireira de bonecas*
6. *Cabeleireira*
7. *Cabeleireira de petshop*
8. *Meus Deus, cabeleireira é a minha vocação, o que estou fazendo escrevendo este livro?*
9. *Aventureira do Discovery Channel indoors*
10. *Secretária que mora com a avó, pois é muito apegada — um beijo, vó!*

JANA

O QUE AMAVA FAZER:

1. MANDAR NAS PESSOAS E DECIDIR COMO SE CHAMARIAM AS BONECAS DAS VIZINHAS E O QUE ELAS FARIAM
2. TENTAR HACKEAR O ICQ DOS MENINOS DE QUE GOSTAVA
3. SEGUIR OS MENINOS DE QUE GOSTAVA DA ESCOLA ATÉ A CASA DELES ESCONDIDA
4. DECORAR A CASA DA BARBIE E A CASA DA BARBIE DAS AMIGAS
5. ORGANIZAR LIVROS E FAZER FICHAS COMO UMA BIBLIOTECA E CHAMAR CLIENTES PARA EMPRESTAR LIVROS PARA LER E DEPOIS COBRAR TAXA DE ATRASO
6. BRINCAR DE ENTERRO DE PASSARINHOS QUE MORRIAM NO QUINTAL
7. FAZER COLARES DE MIÇANGA E VENDER PARA MEUS FAMILIARES ME DAREM DINHEIRO
8. FAZER SITES NO FRONTPAGE SOBRE OS HANSON
9. COMPOR MÚSICAS EM INGLÊS PARA SEGUIR CARREIRA INTERNACIONAL UM DIA
10. FANTASIAR MINHA IRMÃ E AMIGAS DE MENDIGAS E FAZÊ-LAS PEDIREM DINHEIRO PROS VIZINHOS ENQUANTO EU ESPERAVA O DINHEIRO EM CASA

JANA

O QUE ME EMPOLGAVA EM CADA UMA DESSAS COISAS:

1. CONTROLAR A VIDA ALHEIA
2. CONTROLAR A VIDA DOS PAQUERAS
3. CONTROLAR A VIDA DOS MENINOS DA ESCOLA
4. CONTROLAR A VIDA DAS AMIGAS
5. CONTROLAR A LEITURA DAS PESSOAS E SER RICA
6. VIVER UMA VIDA DARK
7. SER RICA
8. FICAR O DIA INTEIRO NO COMPUTADOR
9. SER A NOVA BRITNEY SPEARS
10. SER RICA

Seguindo essa lista eu serei então uma rica dark cantora pop que controla a vida das pessoas pelo computador. Mas como essa profissão ainda não existe, segue uma **lista de possíveis profissões baseadas no exercício.**

1. *Roteirista de novela, séries, filmes ou carrasca*
2. *Hacker internacional*
3. *Corredora*
4. *Decoradora, urbanista, designer de interiores*
5. *Humanitária que incentiva a leitura*
6. *Cerimonialista dark*
7. *Apresentadora de merchand do Disk Biju*
8. *Presidente de Fã-Clube, editora de sites, designer*
9. *Compositora, cantora pop, cantora boho do Myspace*
10. *Stylist, maquiadora, produtora de moda*

Próximo passo agora: **escreva também o que não fará jamais por dinheiro algum** (mas saiba que caso fique sem dinheiro fará sim, experiência própria).

Esta é uma lista que nós costumamos fazer e funciona bem, porque saber o que não quer fazer já é meio caminho andado para finalmente saber o que quer fazer.

CAMI

O QUE NÃO QUERO FAZER MAIS/JAMAIS:

1. FAZER CONTAS, PRINCIPALMENTE PORCENTAGENS
2. NADA QUE ENVOLVA MÁQUINAS CORTANTES
3. LOCAIS EM QUE NÃO ME DEIXEM COMER ENQUANTO TRABALHO
4. LOCAIS EM QUE EU PRECISE ME VESTIR MUITO BEM TODOS OS DIAS — UMA VEZ POR SEMANA ESTÁ O.K.
5. QUE EU SEJA OBRIGADA A FAZER SOCIAL TODA SEMANA EM FESTINHAS, JANTARES E HAPPY HOURS
6. EMPRESAS QUE FAZEM DUAS REUNIÕES POR DIA DE DUAS HORAS CADA UMA PRA NÃO RESOLVER NADA
7. EMPRESAS CARETAS E HOMOFÓBICAS
8. TRABALHOS QUE ME OBRIGUEM A VIAJAR POR MUITO TEMPO E CONSEQUENTEMENTE FICAR LONGE DA MINHA CASA, MINHAS COISAS, MEU CACHORRO E MINHA FAMÍLIA (SIM, SOU FILHA ÚNICA COM ASCENDENTE EM CAPRICÓRNIO)
9. QUALQUER SITUAÇÃO QUE ENVOLVA CARAOQUÊ
10. ALGO QUE DEPENDA DA MINHA CAPACIDADE DE DESENHAR

JANA

O QUE NÃO QUERO FAZER MAIS/JAMAIS:

1. USAR SALTO PARA TRABALHAR
2. TER UM/UMA CHEFE QUE ME TRATA MAL/ABUSA MORALMENTE/DESEQUILIBRADO(A)
3. QUALQUER TRABALHO QUE PEGUE TRÂNSITO TODOS OS DIAS E DIMINUA MINHA VIDA EM ANOS POR PASSAR ÓDIO
4. BATALHAR PARA SENTAR NA FILA **A** DE UM DESFILE PARA SER ALGUÉM
5. TER QUE SER FALSA E BAJULAR PESSOAS PARA SUBIR DE POSIÇÃO
6. VIVER UMA SITUAÇÃO DE COMPETIÇÃO DOENTIA ENTRE OS FUNCIONÁRIOS (TIPO FOFOCA E CHEFES QUE COLOCAM UM CONTRA O OUTRO)
7. TOPAR GANHAR MAL APENAS PELO HYPE DO NOME DA EMPRESA E DO QUE ELA VAI ME AGREGAR
8. AGUENTAR QUALQUER TIPO DE MALCRIAÇÃO OU FALTA DE EDUCAÇÃO DE QUALQUER PESSOA
9. TRABALHAR EM EMPRESAS PRECONCEITUOSAS, MACHISTAS OU/E HOMOFÓBICAS
10. TRABALHAR EM LUGARES QUE NÃO ME PERMITAM VIAJAR SEMPRE OU TODO O TEMPO

6

A RESSACA AOS TRINTA ANOS DURA TRINTA ANOS

Aos trinta você conhece como nunca a palavra ressaca. E não é bom conhecer a ressaca, algo que você só vai entender bem aos trinta.

Quando você é nova, não sabe o que é ressaca. Mesmo que fale que está de ressaca, você não sabe. Aos vinte você vai na balada em dia de semana e vai trabalhar direto, virada, chega ao estágio dando risada, morre de sono, mas algumas horinhas a mais na próxima noite resolvem, ou você vira a noite todos os dias da semana e tudo bem, é mágico. Pior: as pessoas novas bebem no dia seguinte da ressaca, pra curar a ressaca bebendo mais, e fica tudo bem novamente.

Aos trinta você bebe um pouco a mais e no dia seguinte pode acontecer de chorar, achar que está com uma doença grave ou fazer promessa pra nunca mais beber, porque não vai suportar as dores e o mal-estar que a bebida da noite anterior trouxe.

A ressaca agora dura tanto tempo que você poderia até já agendar médicos e hospital quando sabe que vai ter uma megafesta, pois vai rolar alguma virose, gripe ou pneumonia depois de beber muito. É melhor você só sair às sextas-feiras pra garantir que vai conseguir sair de casa e raciocinar até segunda-feira; ou melhor, sair numa sexta só quando segunda for feriado, porque dois dias são muito pouco para a ressaca dos trinta anos.

E nem precisa mais beber tanto assim: quanto mais os anos passam, menos bebida a gente precisa pra ver nossa vida indo embora pelo ralo no dia seguinte. Pode ser uma cerveja inocente em um happy hour, um vinho que parece tão maduro e amigável, um *welcome drink* em um resort — tudo nos empurra para a decadência.

Misturar bebida deixou saudades, já não é uma prática muito recomendada, mas é aos trinta que você aprende que, caso ela aconteça, terá consequências graves e definitivas, também porque aos trinta as pessoas em volta de você começam a beber menos, já que algumas casam e têm filhos e elas agora estão mais sóbrias vendo as coisas que você pode fazer se tomar um porre. Antes estava todo mundo com o filtro da bebida de um mundo ideal onde o que acontecia na noite passada ficava na noite passada; agora você pode ser traída por amigos sóbrios e até por filminhos em redes sociais dançando com um homem sem camisa vestido de índio em uma festa que nem a fantasia era.

A ressaca agora é tão furiosa que pode começar antes mesmo de você dormir. Ela atrapalha seu sono e pela manhã te desperta com a mais amarga lembrança de que a noite passada deixou marcas. Tomar banho parece que conta como uma atividade física, secar o cabelo vale como aquele cárdio extra que você faz depois do treino e, se o seu cabelo for comprido então, pode contar como uma prova de triatlon. Pode ser facilmente confundida com sintomas de dengue e talvez seus familiares fiquem até preocupados se te encontrarem nesse estado.

Não dá nem mais vontade de comer um mega-hambúrguer no dia seguinte, porque mal dá pra comer no dia seguinte, quando antigamente você tomava um porre e se curava pedindo fast-food no delivery. Agora você tem que se planejar para comer um hambúrguer mesmo sem ressaca, já que precisa ver se não está com uma gastrite por causa de trabalho ou se uma dor de barriga pode estragar seu fim de semana.

Não é só a sensação da ressaca que você sente durante dias e dias, mas a sua aparência também demora dias para voltar ao normal. Você começa a conviver com o termo "destruída", que é como sua cara pode ficar depois de uma noite de balada ou um casamento mais animado, (casamentos são a "rave dos adultos"). Além de uma olheira tipo esfumado invertido, o álcool pode causar rosácea, descamação e ressecamento da pele, causar caspa e enfraquecer as unhas. Isso sem contar a cara inchada e disforme. Só por essa busca no Google em que descobrimos isso, nos arrependemos por anos de caipiroska de maracujá.

Nessa rápida pesquisa sobre o tema, também descobrimos que a ressaca é resultado de cérebro, fígado, rins, intestino e metabolismo afetados. Apareceram as palavras neurotransmissores, prostaglandinas e citocinas, suco gástrico, potássio, sódio, hipoglicemia, hormônio ADH e células da parede intestinal, só para citar algumas. Nem vamos tentar explicar porque os muitos anos de ressaca nos fizeram não conseguir compreender direito.

Também não dá mais para raciocinar. Alguém sabe como os "jovens" vão trabalhar virados da balada? Porque o cérebro simplesmente não funciona, responder um WhatsApp vira algo tão difícil que parece uma prova de vestibular. A primeira dificuldade de ir trabalhar de ressaca — algo que admiramos muito nos "jovens", vale a pena relembrar

— é chegar ao trabalho, porque você está tão burra que encontrar o caminho é uma prova muito avançada. Responder ordens, e-mails, participar de reuniões, prestar atenção em qualquer coisa, nada pode ser mais impossível de fazer de ressaca.

Isso porque um dos sintomas da ressaca, além de dores de cabeça, náusea, boca seca, cansaço, dores no corpo, diarreia e sudorese, é o cérebro lesado, pelo menos naquelas piores horas que ela acontece, desde o momento que você acorda com gosto de morte na boca, desesperada por água gelada ou um refrigerante, até comer algo e passar mal, se arrependendo de cada copo.

Aos trinta o ideal seria marcar férias de quinze dias pra cada vez que souber que vai ficar de ressaca — fica a dica para as empresas repensarem o sistema de férias.

7
SER FITNESS
AOS TRINTA
É NÃO USAR
O TERMO
FITNESS

Aos trinta a ilusão de que a academia vai te deixar perfeita acaba. Você não tem mais o intuito de ir até lá pra só ficar sarada, dificilmente pensa na palavra sarada no dia a dia, porque saradas aos trinta são só as pessoas que têm muito tempo livre pra se dedicar a isso. Agora a ideia é ficar bem com você e com o espelho e cuidar da saúde. Pois é, quem diria, agora pensamos em saúde.

Além disso, já sabe que seu corpo é esse e essa é a sua beleza e essas são suas imperfeições, e dificilmente vai ficar tão diferente disso. E trinta anos nesse corpo, já está na hora de criar um caso mais de amor do que de críticas com ele, ele nos acompanhou desde sempre, merece carinho. Pra que sonhar em ter um novo corpo se temos esse?

Até dá pra ter outro corpo, caso seja essa sua meta de vida, e queira viver pra isso e fundar um Instagram sobre isso, mas terá que viver pra isso mesmo, e podemos dar uma dica? Instagram meio que já está passando, crie outra coisa.

Junto com a saúde você passa a se preocupar com condicionamento físico, bem-estar, dores no corpo, joelho que dói quando se cruza a perna, e costas que doem depois de ver Netflix deitada de mau jeito um fim de semana inteiro.

Mas isso tem um motivo: o corpo realmente começa a mudar e começa a precisar de uma atenção maior.

Aos trinta a massa magra — nossos músculos — começa a diminuir gradativamente e agora a cada dez anos vai diminuir três quilos. Quer dizer, você passou vinte e poucos anos pensando em ir pra academia queimar umas gordurinhas e agora precisa pensar além da gordura também na massa magra que não pode ir embora, porque são os seus músculos, o pouco que você tem desde que nasceu e por direito tem que continuar ali.

Quanto menos massa magra, mais fácil fica de ganhar gordura no corpo, principalmente no quadril e abdômen; foi a dra. Vânia Assaly, especialista em medicina preventiva, que nos explicou:

> Com a perda de músculos, perdemos motores de queima – as mitocôndrias, organelas que moram dentro das nossas células que nos ajudam a queimar calorias –, portanto precisamos manter a massa muscular com a prática de exercícios resistidos, assim como manter uma atividade aeróbia. Desta forma estamos ativando e mantendo a massa magra e ativando a queima de gordura com as mitocôndrias bem ativas.

Para a nutricionista Paola Altheia, autora do blog Não Sou Exposição, a melhor dica para manter a massa magra é usá-la:

> Correr, nadar, dançar, sair pra brincar com o cachorro. Manter o corpo ativo é bom para o corpo, espírito e mente. Sempre comendo de maneira simples e variada, sem muito segredo: feijão e arroz, carnes, frutas, salada e bastante água. Um exagero de vez em quando também é normal e ninguém precisa se sentir culpado ou "compensar" nos dias seguintes. O corpo é sábio. Devemos aprender a confiar nele!

Resumindo: nosso metabolismo fica mais lento porque perdemos massa magra. Então precisamos nos alimentar direito e malhar para manter a massa magra e o metabolismo funcionar direitinho.

Perceberam que não estamos falando mesmo de ficar saradas? E a palavra fitness nem cabe mais aqui?

Agora percebam também que estudar biologia na escola era chato, mas, se tivéssemos prestado atenção, poderíamos usar a palavra mitocôndria no dia a dia. Mas como não pensamos nisso antes, pelo menos podemos usar citações médicas no nosso livro e impressionar vocês.

O mais maravilhoso é que todo esse papo de metabolismo, cuidar da saúde e bem-estar traz um novo amor — finalmente começamos a gostar de fazer ginástica. Aos trinta você já sabe que tem que fazer ginástica mesmo e percebe que as endorfinas dão uma sensação muito boa, um barato muito legal. Nunca pensamos que ir pra academia seria parte da sensação boa do dia e não uma obrigação.

O engraçado é que a gente vai vivendo e vendo a mudança das

fases fitness. Quem tem trinta viu a aeróbica brilhar muito quando era pequena, aqueles conjuntinhos de lycra e tênis e meia brancos e as coreografias ao som de poperô. Já teve momentos da musculação, corrida, ballet, tênis, ioga, pilates, muay thai, ballet fitness, e agora a moda é crossfit e treino funcional. Tantos anos cabulando a aula de educação física dizendo que estava com cólica, e agora as pessoas pagam para interagir com pneus, jogar bolas na parede, quanto mais primitivo e parecido com educação física for o exercício, mais caro e eficaz parece que ele vai ser.

A mesma coisa acontece com as dietas que entram e saem de moda, esse papo de "agora não pode mais carboidrato", "agora não pode mais glúten". "É um tal de 'cortar carbo', 'zerar carbo' que anda fazendo a cabeça das pessoas. Mas cortar esse grupo alimentar inteiro da dieta sem necessidade não faz nada bem. Os carboidratos são uma fonte de energia importante e, além disso, um alimento exclusivo para o nosso cérebro. Alimentar-se apenas de proteínas causa transtornos como nervosismo, confusão mental e letargia", afirma a dra. Paola.

E o glúten e a lactose?

O glúten é uma proteína presente em cereais como trigo, centeio e cevada. A lactose é um açúcar presente nos derivados do leite. E, de fato, está na moda cortar esses itens da alimentação. Acho uma bobagem. Quem precisa cortar lactose da dieta é quem tem intolerância à lactose, e quem precisa cortar glúten é quem tem intolerância ao glúten ou doença celíaca. E fim de papo. Não vale a pena seguir modismos alimentares que só causam estresse e deixam a mente confusa.

O bom de estar ficando "velha" é que junto com a vontade de fazer exercícios para se cuidar, você não tem mais tempo a perder experimentando mil dietas, afinal depois de mais de uma década entrando nessa onda errada, se ainda não percebeu que dieta não funciona, deveria refletir agora. Se dieta funcionasse, as pessoas fariam uma e nunca mais precisariam.

Reeducação alimentar é o "lance" — desculpem o termo de tia, foi mais forte que a gente — e você só fala esse tipo de frase aos trinta anos, porque antes parece patético acreditar que sua alimentação não é boa e, lembrando agora, não era boa mesmo, porque o termo reeducação alimentar era sinônimo de dieta pra você.

O que é bom para o meu corpo? Essa é uma frase que começa a ficar recorrente na nossa vida. Estamos interessadas em alimentação saudável e nutrição e não por causa da moda dos programas de culinária saudável. Aos trinta naturalmente começam a aparecer questões sobre um biscoito recheado e sua necessidade, mas agora não é pela caloria, é porque o corpo poderia receber algo mais nutritivo e rico. Os anos de festa do sódio, com comida congelada, empanados de frango, macarrões instantâneos e disk pizzas com combo de coca litro por 19,90 perdem o sentido e parecem mais deprimentes do que divertidos.

Estamos registrando essa novidade em um livro porque nem a gente acredita! Achamos legal ir à academia aos sábados. Ficar muito loucas de endorfina é mais legal pra gente do que tomar um porre na sexta, então, depois disso, ninguém mais pode dizer que não somos maduras.

8

AOS TRINTA O RELÓGIO BIOLÓGICO DE TODA MULHER DIZ QUE ELA QUER TER FILHO?

Quando nossas avós eram jovens, uma mulher que tinha filhos aos trinta anos (ou depois disso) era uma mulher velha que tinha filhos. Nossas avós eram jovens faz muito pouco tempo, algumas ainda estão vivas.

Foi depois dos anos 1960 que a mulher começou a tomar pílula e conquistou mais direitos, passou a ter uma participação maior no mercado de trabalho e sua vida pôde ser mais do que nascer para casar e ter filhos.

Em muitos países as mulheres puderam começar então a pensar em construir carreiras e fazer coisas tão normais quanto os homens, como estudar, fazer faculdade, trabalhar, receber aumento, promoção, comprar sua própria casa, realizar seus sonhos. Tudo isso é muita coisa, não acontece em poucos anos, e logo aos trinta ficou cedo demais para pensar em uma responsabilidade tão grande que é gerar uma nova pessoa e cuidar dela até ela conseguir se cuidar sozinha — algo que demora anos, talvez décadas.

Mas quando você se aproxima dos trinta, começa a ouvir falar de um tal relógio biológico, que antes parecia papo de maluco. Chegam em você assuntos estranhos, dizem que seu corpo quer muito ter um filho a partir de agora e que esse é o momento, porque quanto mais demorar mais você vai enfrentar dificuldades.

Você é muito jovem ainda, provavelmente nem sabe o que quer fazer da vida direito, e de repente é bombardeada por todas essas informações e se flagra pensando que precisa de um superplano de saúde caso queira ter filhos um dia ou caso tenha dificuldades para ter filhos um dia por causa da sua idade. Você pode chegar aos trinta sem ouvir relógio biológico algum falando com você, mas à sua volta as pessoas ouvem esse relógio e começam a te falar sobre isso, te inserir nesse mundo que você nem sabe ainda se quer estar.

Mas existe relógio biológico mesmo ou tudo isso não é muito mais uma pressão da sociedade para você ter filhos? Resolvemos conversar com a ginecologista dra. Ana Luisa Nunes, da clínica de medicina reprodutiva Huntington, e com o filósofo Rodrigo Petronio para tentar entender melhor o que realmente acontece durante essa época da vida.

A dra. Ana Luisa Nunes nos explicou que relógio biológico existe sim, mas não é porque a sua amiga viveu isso que você também vai: "Cada paciente tem o seu relógio biológico, sua reserva de óvulos. E a velocidade de perda desses óvulos é individual e não há nada que possamos fazer para retardá-la. Lógico que um bom estilo de vida é fundamental: exercícios regulares, boa alimentação etc.".

Mas existe algo que todas as mulheres têm em comum: a nossa plena capacidade reprodutiva vai até os 35, depois disso ela diminui cada vez mais. O que não significa que depois será impossível, mas antes dos 35 as chances de engravidar são maiores (leitoras, usem camisinha).

Além do relógio biológico, existe também uma pressão para você querer ser mãe logo, nos explica o filósofo Rodrigo Petronio:

> Tenho sérias dúvidas se todas as mulheres têm mesmo esse instinto materno de que tanto se fala. Acredito que haja uma quantidade enorme de mulheres que inocularam essa necessidade de ter filhos e de ser mães, mais como uma expectativa e como uma pressão social do que como um desejo interno. É preciso urgentemente desnaturalizar esse instinto materno das mulheres. Ainda mais hoje em dia, que a sociedade promoveu a inclusão da mulher em tantas esferas de participação. Suspeito que muitas mulheres, se fossem de fato fiéis a seus desejos e percebessem que a maternidade iria obstruir a realização de outros desejos, abririam mão da maternidade. O problema é que muitas sequer podem assumir isso, pois ainda é um tabu em nossa sociedade. Uma mulher sem vocação materna ainda é vista como um caso de exceção. Acredito que isso precise mudar, pois tenho quase certeza de que essas mulheres, para as quais a maternidade não é uma necessidade vital, sejam uma quantidade muito maior do que imaginamos.

Então aos trinta o relógio biológico de toda mulher diz que ela quer ter um filho? **Pode ser que o seu diga, pode ser que ele diga mais pra frente, talvez você tenha um filho sem nem sentir esse tal relógio, talvez você também nunca engravide, talvez nunca sinta vontade de ter um filho, nem de sangue, nem adotado, nem um animal de estimação para chamar de filho. Todos esses jeitos são naturais.**

Mas agora vamos considerar o conjunto das mulheres que querem filhos, para este capítulo ficar maior, porque nosso editor está enviando e-mails cobrando o livro.

Mesmo que você decida que não quer ter um bebê agora, que nunca vai querer ter e que não deseja conversar sobre qualquer assunto das linhas acima, aos trinta começa uma epidemia a sua volta de pessoas noiadas porque nunca pensaram nisso antes e de pessoas que pensaram nisso e agora vão ter filhos pois esse é o momento, segundo dizem por aí.

Aos trinta, é só uma pessoa da turma ficar grávida que outras quatro ficam grávidas, muitas vezes ficam grávidas ao mesmo tempo, talvez você fique grávida também. Sério, se você tem trinta e não está grávida pra acompanhar a epidemia da sua turma, faça um teste de farmácia agora, você pode estar e ainda não sabe, parece que isso pega.

Aos trinta, a fase em que todo mundo começa a ficar grávida em volta de você é diferente da dos vinte anos, quando algumas amigas tinham filho cedo. Você visitava o bebê mas não entrava nesse universo, continuava a viver sua vida normalmente e todo mundo também, pois naquela época a sua amiga com um bebê é que era diferente.

Aos trinta, quando todo mundo começa a ter filho nessa epidemia, a diferente passa a ser você, se você não tem um também. Se você disser que não quer nunca ter um, podem te considerar uma criminosa por não desejar usar seu corpo para gerar vidas e povoar o mundo.

Agora, se você já é casada ou mora junto ou namora um cara firmeza e não tem um bebê, mas gostaria de ter, a turma das mamães começa a torcer muito pra chegar logo seu dia. Se você não tem nem marido e nem namorado e nem expectativa de quando poderá entrar pra turma, as mamães torcem muito pra você conhecer alguém e casar e ter filhos e ser tão completa quanto elas. Se você não quer ter filhos, grande parte da turma das mamães e das futuras mamães que querem muito ser mamães não entende, como se fosse errado você ser mulher e não querer ser mãe.

O fato é que aos trinta os assuntos em volta de você começam a mudar. A partir de agora, por muito tempo, contando os nove meses de gravidez de cada amiga, mais o começo da vida de cada novo bebê, e depois de cada irmãozinho do bebê, todo o núcleo das mamães vai falar sobre gravidez e filhos com você.

Isso quer dizer que mulheres grávidas ou que têm filhos só falam sobre isso? Não, elas falam de outras coisas também, mas talvez elas falem bastante sobre isso, e elas são muitas, e a partir de agora é o assunto em comum entre elas, então parece que só falam disso, porque, afinal, até pouco tempo ninguém falava disso perto de você.

Suas amigas não bebem mais porque estão grávidas ou amamentando ou de regime pós-gravidez ou tentando muito engravidar e estar saudáveis pra isso. Obviamente ninguém mais quer sair, ir pra balada ou pros bares passar a madrugada. Grupos de WhatsApp têm menos piadas e memes de baixarias e agora você recebe fotos de ultrassom, ultrassom em 3D, vídeos de ultrassom e fotos de roupinhas fofas.

Quando você não é a grávida, mas todas as suas amigas ou a sua melhor amiga estão grávidas ou a namorada/mulher do seu amigo, é muito legal. No começo é uma supernovidade e já temos amor por esse bebê, queremos ver logo como vai ser a criaturinha, queremos ser tias legais, acompanhar a mudança do corpo dela, estar perto.

A gente tenta ficar esses nove meses acompanhando e tendo muita curiosidade pra saber todas as mudanças, queremos saber de todos os assuntos, mas é inevitável que em algum momento você seja excluída, porque não vai conseguir ter a mesma afinidade e suprir a necessidade de conversar e trocar informações que uma amiga que também está grávida vai poder proporcionar para sua grande amiga.

Sua amiga grávida começa a frequentar novos lugares, tipo cursos de gravidez, ioga pra grávidas, hidroginástica, onde ela pode conhecer outras pessoas que estão grávidas também e têm muito assunto pra dividir. Muitas vezes a grávida fica mais íntima de uma amiga meio distante que já tem filho ou também está grávida.

Dá um pouco de ciúmes ver sua amiga cheia de amigas novas tão grudadas do nada, mas o que você pode fazer? Elas têm assuntos e linguagem tão complexos pra quem está por fora — tipo falar que a bacia abriu ou que a dilatação não estava boa — que nem se você ler tudo sobre poderá sentir o que acontece com seu corpo e suas emoções.

Naturalmente os grupos se refazem, você tem que andar mais com o pessoal não grávido e a grávida tem que andar mais com o pessoal grávido. Mas não quer dizer que vocês não continuem grandes amigas. É só uma fase. Ela pode durar os próximos dezoito anos até esse bebê sair de casa e entrar na faculdade em outra cidade? Sim! Mas olha que maravilhoso pensar que daqui dezoito anos você poderá novamente passar um fim de semana inteiro com sua amiga só pra você, passando de bar em bar sem nenhuma preocupação. Dezoito anos passam muito rápido! Nós já estamos com trinta!

Aos trinta acontece de você estar em um relacionamento feliz e ter um emprego que te remunera legal, mas não ter começado a pensar em filhos, porque tem outras coisas na cabeça. E é aí que a turma das mamães e papais e as pessoas mais velhas têm certeza de que você está com problemas para engravidar e os almoços nunca mais serão os mesmos. Agora você vai ouvir os termos fecundação e ciclo menstrual enquanto tenta comer uma lasanha com sua turma.

Aos trinta e comprometida, quanto mais amigos com filhos você tiver, mais cobranças vai ouvir a respeito. Vai segurar um bebê no colo e todo mundo do ambiente vai falar "Tá treinando?", afinal você tem trinta, deveria estar treinando. Agora você tem que segurar um copo de bebida em todas as festas, nunca mais vai poder sentir enjoo na vida, nem tontura e muito menos sono, porque se fizer alguma dessas coisas todo mundo vai achar que você está grávida mas ainda não quer contar já que está muito no começo; todo mundo conta os dias para sua vida estar completa e você justificar sua idade, relacionamento e emprego com um filho.

A parte mais constrangedora é quando suas amigas que já engravidaram começam a tentar te dar dicas e te ensinar a como engravidar. Esqueça o que aprendeu na sua vida inteira — que para engravidar basta transar sem camisinha e sem tomar anticoncepcional —, você estava bem equivocada. As amigas mamães ficarão agora a par da sua última menstruação e do dia da sua última transa, pra dizer que você transou no dia errado. Você vai ficar sabendo que tem um dia certo pra transar e transar nunca mais será a mesma coisa, porque tudo que é certo é chato.

Parabéns, você agora tem trinta, ainda não tem um bebê e não gosta mais de transar.

Como não ser excluída na hora de conversar com sua melhor amiga grávida

Estes são os assuntos que irão conectar vocês (pelo menos um pouco, até ela encontrar outra amiga grávida no cursinho de parto e te trocar por aquela barriguda):

- *Não são meses, são semanas de gestação.*

- *Só pode comentar sobre a gravidez dela com outras pessoas depois de doze semanas, pois os primeiros três meses são de risco.*

- *Elas sentem muito sono e fazem muito xixi.*

- *Elas começam a falar sobre mamilos abertamente. Em qualquer lugar, em qualquer mesa, com qualquer pessoa.*

- *Você não pode falar sobre coisas que ela não pode fazer, tipo viagens incríveis em lugares com adrenalina, porres de vinho, superfestas que duram um fim de semana, uma ginástica nova pesadíssima que está na moda e sushi, porque elas precisam evitar todas essas coisas.*

- *Você precisa comentar sempre que a barriga dela está crescendo.*

- *Você não pode reclamar que está com sono ou cansada, porque a grávida é ela.*

- *Você tem que saber desde o começo identificar na mancha do ultrassom o que é um fetinho e onde ele está, mesmo que seja mentira.*

- *Você tem que falar que o feto é lindo, mesmo no ultrassom das primeiras semanas, uma época em que ninguém é valorizado pela beleza.*

- *Conversar sobre nomes, ajudar na pesquisa de nomes.*

- *Não fazer perguntas difíceis, tipo a escola onde ele vai estudar e a personalidade da criança ou como será a criação dela. Ou só fazer esse tipo de pergunta para dar o prazer pra mãe, caso ela seja uma pessoa controladora que quer decidir tudo sobre um feto de 25 semanas.*

- *Você precisa saber que muitas emoções vão rolar, porque os hormônios ficam muito malucos. Pode ser que ela fique chateada com bobagens ou até agressiva, ou os dois ao mesmo tempo. Medite.*

- *Não pergunte se ela quer ter um próximo, ela nem teve esse.*

Você será apresentada a um novo vocabulário e a novos assuntos:

- ***Colostro:*** *primeiro leite que sai do peito*

- ***Bacia aberta***

- ***Dilatação*** *aplicada no dia a dia*

- ***Dores nas costas*** *e dificuldades para abaixar*

➔ ***Amamentação:*** *preparação dos seios para amamentação, bomba de tirar leite, comidas proibidas.*

➔ ***Cintas:*** *pra aliviar o peso da barriga e pra sair do hospital e a barriga voltar pro lugar.*

➔ ***Babás:*** *entrevista com babás ou enfermeiras, tipo de música que a babá ouve e se ela é religiosa.*

➔ ***Parto:*** *tudo sobre parto e todos os tipos de parto, parto humanizado, normal, cesariana.*

➔ ***Posição do feto:*** *se o bebê virou para ter parto normal, técnicas pro bebê virar, bola de pilates, ioga.*

➔ ***Mudanças no corpo:*** *estrias, manchas, peso, queda de cabelo.*

Não queremos ser mães malas

Até porque um membro da nossa dupla nem sabe ainda se quer ser mãe. Mas outro dia ficamos pensando sobre nossas amigas que criticaram mães malas pra gente e viraram mães malas, e percebemos que temos muitas chances de cair nessa roubada. Então decidimos fazer essa lista-lembrete para nós mesmas. Use se quiser.

(Antes de mais nada, amigas mães, não briguem conosco. Vocês serviram de fonte de inspiração para nosso livro, que é nosso filho.)

➔ *Jamais pressionaremos uma amiga a ter um bebê.*

➔ *Jamais acharemos que uma amiga é uma pessoa incompleta se ela decidir não ter filhos.*

➔ *Caso fiquemos grávidas, tentaremos falar de outros assuntos durante a gestação.*

➔ *Fotos no parto de touca, juramos que vocês jamais verão.*

➔ *Qualquer foto ou história que envolva placenta sendo guardada, comida ou exposta não partirá de nós.*

- *Não postaremos fotos do nosso bebê o tempo todo, mas apenas poucas fotos, e faremos um blog secreto com todo o resto, para que nossas mães e amigos possam acessar se quiserem.*

- *Não falaremos que queremos babás da moda que escutam música brasileira cult e falam em várias línguas com o bebê sobre assuntos cult, pois, acreditem, ouvimos uma pessoa falando sobre isso outro dia e lamentamos pelo planeta.*

- *Não falaremos sobre salários de babá e enfermeira com as pessoas.*

- *Jamais vestiremos meninas só de rosa e meninos só de azul. Lidem com isso.*

- *De maneira alguma faremos um chá de bebê caríssimo, no valor de um casamento.*

- *Muito menos faremos chantagem emocional para todas as nossas amigas irem ao nosso chá de bebê, sobretudo as que não têm filho, pois elas não terão assunto nessa festa tão temática.*

- *Não faremos uma balada no hospital com lembrancinhas e doces chamados "bem-nascido" para as pessoas. Por favor, não nos visitem em um hospital após um parto.*

- *Não seremos essas pessoas que emagrecem tudo o que engordaram na gestação em cinco dias e viram case de sucesso na sociedade.*

- *Aliás, não seremos grávidas fitness que não podem viver em paz nem na única época que a sociedade deixa as mulheres comerem em paz na vida (deixava, pois agora existem as grávidas fitness).*

- *Não daremos nomes que possam ser motivo de bullying para nossos filhos.*

- *Não tentaremos emplacar um apelido à força que nada tem a ver com o nome escolhido para a criança, pois mal conhecemos a criança e nem sabemos se ela curte o apelido.*

- *Não faremos um perfil de Instagram de um bebê como se ele o atualizasse.*

- *Jamais, jamais, jamais vestiremos roupas em nossos filhos com mensagens do tipo "o papai é o cara", "eu adoro minha madrinha" ou qualquer coisa pavorosa dessas.*
- *Não vestiremos nosso bebê com roupas desconfortáveis só para parecer uma criança num eterno batizado e as pessoas acharem fofinho.*
- *Rezamos para não vestirmos nossa criança com miniuniformezinhos de time, como se ela fosse um torcedor ou torcedora. Brasil, você pode se revoltar, mas algumas coisas têm limite.*
- *Não faremos festas de aniversário mensais com bolos mensais.*
- *Não faremos festas de aniversário milionárias.*
- *Não faremos festas de aniversário no meio da tarde e ficaremos convidando pessoas que trabalham para dar uma passada.*
- *Jamais faremos um book grávidas. Jamais faremos um book.*
- *Nos primeiros anos de vida da criança, jamais ensinaremos que ela tem que namorar as criancinhas da escola e beijar. Gente, por que vocês falam isso para crianças de quatro anos?*

Poderíamos continuar aqui citando milhares de exemplos sobre a criação inteira de nossos filhos, mas tivemos que parar porque o livro não é sobre isso e ficaria muito grande. Quando lançarmos o *Manual para não ser uma mãe mala*, no futuro, continuaremos este capítulo.

9

AOS TRINTA VOCÊ DEVE SE VESTIR ASSIM, SE MAQUIAR ASSIM E TER ESSE CABELO?

Crescemos lendo nas revistas de moda que se vestir aos vinte era diferente de se vestir aos trinta, quarenta e cinquenta. Esperamos anos para finalmente chegar aos vinte anos e poder nos entregar para a moda, com nosso próprio dinheiro, pois as matérias nos avisavam que aos vinte você pode ser *fashion victim* à vontade, cortar franjinha, tingir o cabelo de cores modernas... Mas só aos vinte, porque aos trinta tudo ia mudar e nosso guarda-roupa seria lotado de tailleurs e brincos de pérola e nosso cabelo seria chanel sério.

Mas aí chegamos aos trinta e não aconteceu uma grande mudança de guarda-roupa. Não temos um tailleur — ainda bem —, muito menos compramos pérolas; ainda usamos bijuterias da rua 25 de Março que cabem no nosso orçamento; e nosso cabelo é comprido com franja como sempre foi. A mudança, na verdade, foi que paramos de ler listas de revistas ou qualquer lista que nos fale como devemos nos vestir em qualquer idade, porque não acreditamos mais em regras da moda ou de beleza.

Mas escrevendo este livro ficamos curiosas: ainda existe essa história de que aos trinta você tem que mudar seu estilo? Uma busca na internet nos mostrou um mundo desconhecido e um pouco assustador. As primeiras páginas do Google eram cheias de links sobre mulheres que chegam aos trinta e vivem dentro de um escritório. Terno, blazer, alfaiataria e scarpin apareceram na nossa frente, nos pressionando mais ainda para termos uma carreira consolidada. Não queremos ser repetitivas, mas nem sabemos ainda o que queremos fazer da vida, e os sites de moda nos empurram direto para um escritório?

Estas são algumas frases que encontramos e resolvemos comentar, para o caso de os autores lerem este livro, porque queremos ter a chance de dar um toque nessas dicas:

"Para a mulher de trinta anos elegância é a palavra da vez"

Comentário Cami: *Bom, pelo menos a palavra da vez não é botox.*

Comentário Jana: *Acho que elegante é ser misteriosa.*

"É proibido franjas. Principalmente no meio da testa."

COMENTÁRIO CAMI E JANA: *Nossa, então estamos perdidas.*

"Uma forma de fazer a transição do guarda-roupa de seus vinte anos para o de trinta é evitando roupas da moda. Quando você estava com vinte anos, podia usar as últimas tendências, mas, se tentar isso aos trinta, pode passar a impressão de que pretende parecer mais jovem."

COMENTÁRIO CAMI: *É engraçado ler que eu tenho que evitar estar na moda, é tipo um aval pra ser cafona?*

COMENTÁRIO JANA: *Ai, que bom que você falou isso, assim eu não preciso usar roupas da moda e gastar o meu dinheiro. Vou usar pra sempre a mesma camiseta, obrigada.*

"Um corte curto ou acima dos ombros é o ideal para refletir os progressos no trabalho, por refletir mais segurança e exprimir seriedade."

COMENTÁRIO CAMI: *Ah, tá, não sabia que o meu progresso profissional iria acontecer depois de um corte de cabelo...*

COMENTÁRIO JANA: *Posso usar o cabelo que eu quiser? Obrigada.*

"Como uma mulher de trinta anos, você provavelmente precisará de roupas versáteis. Vestidos de amarrar, casacos, sapatos de salto alto, sapatilhas, calças de alfaiataria, jeans bem ajustados e uma saia justa são itens que se encaixam nessa necessidade."

COMENTÁRIO CAMI: *Eu li "vestido de amarrar" e me vi numa camisa de força... risos.*

COMENTÁRIO JANA: *Usei todo o dinheiro dessa lista pra comprar uma passagem pra Nicarágua.*

"Aos trinta é interessante que a mulher adote um corte de cabelo mais comportado. Nessa faixa etária é recomendado apostar em cortes chiques e sensuais."

COMENTÁRIO CAMI: *Por que vocês adoram a palavra sensual?*

COMENTÁRIO JANA: *Hahahahahaha.*

"No lugar dos jeans mais despojados e peças mais soltas, entram recortes modernos, camisas, vestidos de linhas finas, as queridinhas peças de alfaiataria com blazers e calças bem cortadas. Nos pés, o salto alto cai superbem para mulheres dessa idade."

COMENTÁRIO CAMI: *Eu só uso jeans.*

COMENTÁRIO JANA: *Nem prestei atenção.*

"Com o passar dos anos, é importante cuidar para que o corte acompanhe o amadurecimento."

COMENTÁRIO CAMI: *Eu definitivamente não tenho maturidade pra fazer isso.*

COMENTÁRIO JANA: *Eu não aguento mais.*

"Use cintos, sapatos e joias da moda para adicionar estilo ao seu guarda-roupa adulto."

COMENTÁRIO CAMI: *E se eu só tiver o cinto e os sapatos?*

COMENTÁRIO JANA: *O que seriam joias da moda?*

"A boa notícia é que o cabelo pode até ajudar a esconder os primeiros sinais da idade, como rugas na testa. O desafio é manter o cabelo brilhante e saudável, evitando os penteados exagerados de aparência dura e cheios de spray."

COMENTÁRIO CAMI: *Como vou esconder a testa se vocês não querem que eu tenha franja?*

COMENTÁRIO JANA: *O que uma coisa tem a ver com a outra? Por que tenho que esconder a minha testa?*

"Você pode usar um vestido de amarrar para o trabalho durante o dia, com um casaco de lã que possua o encaixe de um cardigã. Este mesmo vestido pode ser usado para um jantar chique, com saltos sensuais e joias que chamem a atenção."

Comentário Cami: *O.k., vou dar um Google em "vestidos de amarrar".*

Comentário Jana: *Sensual de novo?*

"Franja retinha, rente às sobrancelhas, é infantil. O melhor é optar pelos modelos U – com laterais pontudas – ou diagonais, que são tendência"

Comentário Cami: *O.k., anotei a indireta.*

Comentário Jana: *Não entendi o que você quis dizer.*

"Outra dica é o investimento em peças que garantirão um visual elegante, como bolsas e sapatos. Gaste mais com esses itens, considerando que você poderá usá-los por um longo tempo. Escolha os de tons neutros, assim poderá usá-los com diferentes roupas. Peças de investimento são o segredo para manter um look elegante aos trinta anos de idade."

Comentário Cami: *Será que mochila tudo bem? Eu carrego muita coisa comigo.*

Comentário Jana: *Minha mãe vai gostar que você disse isso; ela odeia a sacola de pano que eu uso como bolsa.*

"Cabelos compridos para as mulheres com idade entre trinta e quarenta anos não estão proibidos, mas optar pelos médios é o mais indicado; o cabelo de comprimento mediano proporciona mais modernidade ao visual, também deixa as curvas da mulher mais evidentes."

Comentário Cami: *As curvas são seios? É pra eu não cobrir os meus seios?*

Comentário Jana: *O quê? Não era pra cortar o cabelo no ombro?*

"Camisa branca, blazer, calça social, scarpin, saia lápis."

COMENTÁRIO CAMI: *Eu não gosto da minha bunda com calça social...*
COMENTÁRIO JANA: *Legal, eu já tenho três blazers, me senti madura.*

"Nessa idade as peças justas e curtas já pedem cuidado. Nada de microshort justinho! Invista na sensualidade com elegância."

COMENTÁRIO CAMI: *Agora uniram a palavra sensual com elegante.*
COMENTÁRIO JANA: *Meu sonho é a minha bunda ficar boa para eu usar só maiô e bota.*

"Coques são chiques e profissionais, perfeitos para uma entrevista de emprego ou para sair à noite. Mas puxá-los para trás pode conferir um ar muito sério a uma mulher de trinta anos — se é assim que você faz o seu coque, é hora de mudar!"

COMENTÁRIO CAMI: *Eu nunca imaginei que o cabelo da entrevista de emprego estaria na mesma dica do cabelo pra sair à noite.*
COMENTÁRIO JANA: *Eu não faço coque.*

"Evite visuais muito fechados. A proposta de saia longa, longuete e camisa com o colarinho fechado em um só look envelhece e é pouco sensual."

COMENTÁRIO CAMI: *Eles esperam muita sensualidade, né?*
COMENTÁRIO JANA: *Eu quero a roupa que eu tiver vontade, não me importa se vai ser sensual ou não.*

Depois dessa sessão de tortura, tivemos mais certeza ainda que não queremos dicas de como nos vestir nunca mais. Só acreditamos nas três dicas a seguir:

❶ *Aqui estão as peças de roupa e o estilo que toda mulher deveria ter aos trinta (ou em qualquer idade): Qualquer uma que ela quiser.*

❷ *Faça como os ciganos, use tudo o que quiser e, se quiser, use tudo ao mesmo tempo e, se quiser, faça fogueiras e dance em volta delas, feliz. Os ciganos são nosso ícone fashion. Um beijo, ciganos!*

❸ *A dica de beleza mais rejuvenescedora da vida é ser bicho grilo, porque quando você é bicho grilo pode ter entre dezesseis e 97 anos que ninguém saberá ao certo. Pele queimada de sol, o mesmo cabelo e as mesmas roupas, ser bicho grilo é à prova do tempo. Um cigano bicho grilo então é o look mais atemporal do mundo.*

Se você não acredita na gente e acha que nossas três dicas não valem e essas listas de regras da moda fazem algum sentido, vejam esse papo que tivemos com Costanza Pascolato, a papisa da moda (com licença, somos chiquérrimas, elegantérrimas, temos o telefone da Costanza e ligamos para ela tipo numa sexta à tarde).

Nós: ***Alô, Costanza, tudo bem?***
Costanza: *Oi, queridas, que bom que me ligaram. Estava agora mesmo pensando em vocês e no sucesso que será esse livro novo!*

(O.k., essa parte inventamos, mas a parte a seguir realmente aconteceu.)

Nós: ***Costanza, estamos pesquisando na internet sobre a moda para as mulheres de trinta e encontramos várias coisas que não podemos mais usar. Você acha que aos trinta a gente precisa trocar o nosso guarda-roupa mesmo?***

Costanza: *Não, agora se fica jovem por mais tempo. Antigamente era diferente, mas hoje em dia tudo mudou muito, uma mulher de trinta é muito nova mesmo. Na moda liberou geral e tudo depende do seu estilo de vida, do seu tipo de corpo e, sobretudo, da cabeça que você tem. Essas regrinhas de certo ou errado não funcionam mais, elas só existem ainda porque as pessoas gostam de ter um parâmetro. Com certeza não é mais como se fazia antes, pois para começar a moda está muito menos formal.*

Nós: ***Pode usar shortinho e barriga de fora aos trinta?***
Costanza: *Aos trinta você ainda é jovem, sua barriga ainda é bonita, sua perna também. Mas tem que ter a ver com estilo de vida da pessoa. Tudo depende do estilo de vida.*

Nós: ***Existe a peça clássica? Toda mulher tem que ter uma camisa branca, por exemplo?***
Costanza: *Como eu escrevi no meu livro* O essencial, *tem gente que nunca pensou em ter uma camisa branca ou um blazer, e quando precisa ir para um lugar mais formal, não tem roupa. Esse miniguarda-roupa de peças clássicas ajuda, serve como estrutura, mas não é que você tem que se jogar nessas determinadas peças — tanto que eu descrevo todos os estilos de mulher e o que elas fazem, a tradicional, a exuberante, a moderna, e por aí vai.*
Não existe mais tendência, existe comportamento, está cada vez mais pulverizado.

Nós: ***Superobrigada, Costanza, te adoramos!***
Costanza: *De nada, qualquer coisa vocês têm meu e-mail, podem me escrever.*

(Essa parte foi pra mostrar que também temos o e-mail da Costanza!)

Depois de ligar para a Costanza, fomos encontrar o mestre da maquiagem Duda Molinos em seu salão de beleza aqui em São Paulo, para investigar se o cabelo e a maquiagem também funcionam assim, sem regras. O Duda também é nosso amigo, ele até postou uma foto nossa no Instagram — uma prova de amizade hoje em dia.

Nós: ***Duda, fizemos uma pesquisa na internet sobre cabelo e maquiagem para a mulher de trinta anos e achamos várias regras dizendo que não podemos usar franja ou cabelão. O que você acha disso?***
Duda: *Essas respostas prontas existem muito mais porque as perguntas são prontas, mas isso não funciona mais. Antigamente demorava pelo menos cinquenta anos pra mudar a tendência, tinha que vir de outro país. Era preciso montar uma ordem para as pessoas seguirem, mas essa ordem não condiz mais com a rapidez que as coisas acontecem hoje. Não adianta a gente usar as mesmas fórmulas de cinquenta anos atrás. É uma bobagem seguir uma estética de certo e errado.*

Nós: ***Então aos trinta podemos usar a maquiagem e o cabelo que quisermos e essas matérias de regra estão malucas?***
Duda: *Sim, fora que aos trinta anos não muda nada na beleza.*

Nós: ***Mas o que sempre vale a pena ter de maquiagem, mesmo pra quem não liga pra maquiagem? O que é bom pra dar uma valorizada?***
Duda: *É fato que sua pele fica melhor se você está com ela corrigida, ela sempre vai ficar melhor com cosmético. E todo mundo sabe que a máscara pra cílios funciona pra levantar o olho de uma mulher, não importa se ela é punk, gótica ou raver.*

Nós: ***Obrigada Duda. Se a gente te der nosso livro, você corta nosso cabelo de graça?***
Duda: *Claro!*

(Essa última parte é fictícia.)

Nossa lista definitiva de moda aos trinta

Depois de dizer que não seguimos e não acreditamos em listas, ignoramos o que falamos e decidimos escrever a nossa lista para as pessoas seguirem. Estamos tentando emplacar nosso estilo como tendência para as pessoas não nos acharem mais estranhas nas ruas, em festas, aniversários e padarias.

Essas são as peças que achamos úteis para toda mulher de trinta anos (estamos falando de mulher de trinta anos apenas, pois o livro é sobre isso e precisamos manter o foco):

- *Pijama para ver séries e passar o fim de semana. Quanto mais velhinho e detonado, melhor.*

- *Calça de moletom e camisetão. Uma versão mais chique de pijama que pode ser usada na frente de pessoas não tão íntimas que te visitam para ver séries com você.*

- *Roupa de ginástica. Para fazer ginástica e trabalhar o dia inteiro com ela (é o que nós fazemos) ou porque é prática e impõe respeito por onde você passa, já que a ginástica é mais valorizada nos dias de hoje que um mestrado ou MBA.*

- *Um casaco que te esquente para você usar para sempre, e quando ele ficar velho pode fingir que ele é* vintage *que fica mais chique ainda.*

- *Vestidinhos baratos, porque a moda do vestidinho muda muito. Às vezes é acinturado, às vezes é camisolinha, às vezes ele vem longo ou estampado. Portanto, não gaste mais que oitenta reais em um vestidinho, ele dura muito pouco.*

- *Um sapato que seja muito resistente e fotogênico e possa transitar entre o verão, o inverno, uma balada ou uma reunião de trabalho. Pode ser um coturno, uma botinha, uma sapatilha ou o que você preferir.*

- *Um salto confortável para todas as festas que você for obrigada a usar saltos, tipo casamentos.*

➔ *Bijoux e óculos de preços mais acessíveis possíveis, para não chorar quando perder ou esquecer em algum lugar.*

➔ *Elásticos de cabelo: os acessórios mais atemporais e necessários se seu cabelo for comprido, inclusive para o look academia.*

➔ *Uma* tote bag, *o nome chique da ecobag, aquela bolsa de pano de algodão cru que antes era usada para supermercado e brinde de desfiles, mas agora é coisa de gente consciente e descolada usar.* Na *verdade usamos também porque é uma boa dica antirroubo, uma bolsinha de pano não é visada no mercado. Mas talvez agora seja depois de contarmos isso. Droga!*

10
Vestibular
do
Amor

Decidimos compartilhar um grande achado nosso: a lista do Vestibular do Amor. Trata-se de uma lista criada por nós que ajuda pessoas que estão começando um relacionamento a saber se devem ou não investir nele.

Se você está conhecendo alguém melhor, faça o teste e veja se vale a pena seguir em frente. Se você já está há algum tempo com a pessoa e quiser fazer o teste, sugerimos que tenha cautela, pois ele pode abrir seus olhos para fatos que você não tinha percebido e que podem mudar totalmente o percurso da sua vida (para melhor, claro).

1. *Pense no ser amado.*

2. *Assinale as qualidades dele:*

   ( ) *bonito*

   ( ) *inteligente*

   ( ) *engraçado*

   ( ) *talentoso*

   ( ) *bem-sucedido*

   ( ) *rico (caso essa seja sua praia)*

Se você assinalou uma ou menos não precisa seguir para a próxima questão e nem continuar essa relação. Não fique chateada, estamos aqui para ajudar.

Se assinalou duas, passe para a próxima fase, mas procure lapidar uma terceira qualidade nele com o tempo. Se assinalou três ou mais itens, passe para a próxima questão com louvor.

❸ *Assinale os "defeitinhos" que você já percebeu:*

( ) *egocêntrico, só fala dele*

( ) *trata garçom, manobrista etc., todo mundo mal*

( ) *grita com você*

( ) *acha que você tem que limpar a casa e ele não*

( ) *usa muita droga*

( ) *fala em terceira pessoa*

( ) *machista*

( ) *te trata mal*

( ) *te acha louca/te faz de louca*

( ) *odeia animais*

( ) *quer ser famoso no Instagram*

( ) *tem outra e você já sabe*

( ) *não quer usar camisinha*

( ) *homofóbico*

( ) *sociopata*

Se você assinalou qualquer um desses "defeitinhos", saiba que reprovamos sua relação. Nosso conselho é que você desista e corra enquanto é tempo para bem longe. Pode nos odiar, pode achar que somos "recalcadas" (mentira, não pode, não aceitamos esse termo ridículo), pode insistir e achar este livro uma porcaria depois disso, mas quando der errado vai lembrar de nós e estaremos aqui, de braços abertos pra te receber desse crápula.

Se não assinalou nenhum, invista, pois tem tudo pra dar certo. Talvez com o tempo apareça algo ruim, mas acreditamos que nada vai ser tão ruim quanto essa lista e não vai ser tão traumatizante assim. Se der certo a relação e ele for tudo que achamos, e que o vestibular do amor atestou, nos chamem para jantar com o casal, vamos adorar conhecer esse fofo.

11

Aos trinta está na hora de casar?

Aos trinta você percebe de repente que muitas pessoas a sua volta estão casadas. Se todo mundo já não casou, está todo mundo marcando o casamento ou está falando em casar, frequentando casamentos todos os fins de semana, conversando sobre casamento de uma conhecida e talvez você também seja a próxima e pensa no seu grande dia enquanto nos lê.

Mas por que todo mundo se casa nessa idade?, nos perguntamos. E aí respondemos: porque está muito claro que chega uma hora que ninguém aguenta mais fazer *dates* e conhecer pessoas novas, além de ser muito difícil conhecer novos pretendentes e descobrir do que eles gostam e se vocês combinam e conhecer uma nova família, fazer a primeira viagem juntos e criar todas as intimidades do zero. É melhor casar logo com alguém com quem você já está acostumado e que já se acostumou com você. Algumas pessoas também acreditam que casamentos acontecem como consequência do amor — se você é uma delas, nós super-respeitamos.

Hoje, se uma pessoa se casa aos 22, todos ficam felizes mas comentam que ela é nova demais e deveria aproveitar mais a vida. Se uma pessoa se casa aos trinta, todos acham supernormal, afinal ela agora é adulta e a função dela é mesmo fazer coisas tão adultas quanto casar e não aproveitar mais a vida. Ninguém lembra que as coisas mais adultas — como pagar suas contas, trabalhar, sair sem perder a chave de casa e não chorar quando seu chefe te chama pra conversar no reservado — são coisas que a gente faz desde sempre, desde o começo dos vinte. Todas essas coisas são realmente difíceis de conseguir e uma certidão de casamento pode ser a mais fácil delas.

Mas você pode pagar todas as contas em dia, ter a casa mais arrumada do mundo, ter até comprado a sua própria casa, e pode até ganhar mais que seus pais, e ter levado um fora em local público e não chorar na frente das outras pessoas, pode ser uma pessoa madura que escreve textos maduros sobre política no Facebook, mas você só é considerada adulta mesmo quando finalmente se casa (de preferência com um vestido branco).

De uns anos pra cá, a indústria do casamento é mais milionária do que a indústria da moda. Casamento é um negócio tão luxuoso, absurdo e "conto de fadas" que quando alguma ricona casa deixamos de assistir à novela para acompanhar minuto a minuto o que está acontecendo na vida dessa noiva.

Mas antes de continuar o capítulo, só um comentário. Aos trinta está na hora de casar? Não, você pode casar quando quiser, mais jovem, mais velha, muito mais velha. Você também pode não se casar nunca. Faça o que quiser, o.k.? De todos os jeitos está certo.

Agora continuando, casamento é um acontecimento tão absurdo hoje em dia que ele começa muito tempo antes do dia da festa e tem todos os seus detalhes divulgados em todas as redes sociais por *hashtags*. O que vamos narrar em seguida é um resumo dos últimos casamentos que testemunhamos: não fomos convidadas para nenhum, a maioria das vezes nem conhecíamos os noivos, mas sabemos cada detalhe deles graças ao bom trabalho de divulgação feito pelas pessoas envolvidas.

Aparentemente já começa quando o pedido acontece. Almoços com amigos e familiares e muita divulgação nas redes, gerando então a primeira *hashtag* de muitas que acompanharão os próximos meses de um casal, para que todos possam assistir o passo a passo do amor daquelas duas pessoas e saber cada mínimo detalhe daquele momento que é só delas, acreditem.

Depois do almoço de noivado, somos presenteadas com a oportunidade de acompanhar tão de perto a batalha da noiva para entrar em forma. Nesse momento, parece que casar é desfilar como madrinha de bateria de uma escola de samba, um trabalho maravilhoso que depende muito de o corpo daquela pessoa ser tonificado e forte, afinal ela está de fio dental, rebolando em uma plataforma, caminhando por uma hora, com glitter na bunda, sendo transmitida pela televisão para o

Brasil todo enquanto usa o corpo para sambar e se mexer (carisma também conta muito e aqui vai um beijo para a rainha Viviane Araújo).

Por que as pessoas que vão casar costumam ficar fazendo dieta antes? Talvez seja pelo fato de que aquele dia vai ser muito fotografado e filmado, e são imagens que ficarão para a eternidade, e a pessoa quer estar se sentindo bem com ela mesma e com seu peso. Querer se sentir bem com você é muito bom e, se isso envolve fazer ginástica e ter uma alimentação saudável, é melhor ainda, pois saúde é tudo na vida. Mas o que as pessoas estão fazendo agora é um reality show do casamento delas e nesse capítulo do reality show estamos falando de um deslumbre fitness e de uma luta por um corpo perfeito, como se fosse obrigação das noivas ser magras e parecidas com atrizes e modelos. *Spoiler*: não é.

Algumas pessoas afirmam que postar cada momento da sua dieta e academia antes de se casar e dividir tudo com seus seguidores traz comprometimento, força e incentivo para que dê certo o seu projeto "noiva magra", ou que quer ser um exemplo para as pessoas. Mas na maioria dos casos fica na cara que o que a pessoa quer é mostrar a sua vida mesmo. Mostrar a vida, simples assim, cada segundo e detalhe dela. Afinal, se você quer ser um exemplo para as pessoas, tente mudar o mundo sem uma *hashtag* ou fazendo algo que não envolva uma foto sua. Olha que ideia legal.

Nesse momento acompanhamos o início do deslumbre fitness de todas as madrinhas, e o volume de *hashtags* cresce, afinal a obrigação de ser perfeita se estende para todas elas, pois onde já se viu subir em um altar (um palco) sem ser perfeita, o que vão pensar dessas pessoas? E o risco de a *hashtag* não bombar e ninguém chamá-las de lindas e magras e deusas? Imagina conviver com esse pesadelo?!

Passamos a conhecer então o personal trainer, o esteticista, o cirurgião plástico, o endocrinologista e a clínica para o clareamento dentário — tudo é devidamente tagueado e agradecido sempre, como se estes fossem os salvadores de algo que estava muito ruim e só eles deram um jeito e, ufa!, agora aquela pessoa pode andar nas ruas. Também conferimos cada novidade em docinhos, bolos, porta-guardanapos de motivo tropical, flores, toalhas de mesa e gramatura de papel de convite.

Um casamento gera tantos empregos que seria impossível fazer uma lista. Além de todos os profissionais da área estética e da saúde, parece que nada seria possível sem uma assessora de casamento, uma pessoa cuja função é tocar o *staff* envolvido para que seu momento bilionário aconteça. A pessoa que assessora seu casamento ganha muito dinheiro para intermediar seus e-mails e telefonemas, e estender os guardanapos na sua frente dizendo por que você deveria escolher cada um deles e qual arranjo de mesa a florista deveria fazer para ornar com aquele guardanapo. Você acredita que no passado as pessoas escolhiam o próprio guardanapo e o próprio arranjo de mesa sem o intermédio de alguém? Chocante.

Observando que se casar está mais na moda do que a moda, o que as pessoas fizeram? Inflacionaram tudo. Sim, casar é caro, acredite nisso. Sabe os casamentos que acompanhamos nas *hashtags* de famosos da TV e da internet (alguns você já deve ter acompanhado também)? Eles custam a partir de 700 mil reais — dessa vez é sério, orçamos com uma profissional famosa.

O bolo de casamento, por exemplo, custa muito caro! Agora pare e pense, quantas vezes você já comeu um pedaço do bolo em algum casamento? Nessa hora as pessoas já estão bêbadas causando, indo embora, passando mal, ninguém quer comer aquele bolo. Ainda mais porque nesse momento, espalham quilos de bem-casado por todo o ambiente e, enquanto você enche sua bolsa com bem-casados, nem imagina que eles também custaram caro, assim como aquela mesa de doces que custou muito caro, cada doce daquele era uma pequena fortuna e as flores e o aluguel de bandejas para organizar aqueles doces eram mais caros que tudo o que falamos.

Flores são muito caras em casamentos, floristas são pessoas ricas. Você já viu alguém que não é rico virar florista? Flores são muito caras mesmo.

Aquele buffet que você não come, já que fica bebendo, custa muito caro por cabeça. Sabe por quê? Porque perceberam que casamento é mais importante pras pessoas do que qualquer outro momento na vida delas, e que vão convidar quem puderem, mesmo porque, quanto mais gente convidarem, mais bombarão sua *hashtag* e mais vão falar que aquele foi o casamento do ano. Pensando nisso, donos de buffet cobram um preço equivalente a cerca de quatro a seis compras de supermercados do mês para uma família de um casal com três filhos que consomem glúten — por cabeça.

Isso sem falar no preço do salão da festa, das cadeiras e mesas que vão alugar, da igreja que também tem que alugar, da decoração da igreja, do carro que leva a noiva até a igreja, do envio dos convites, da cobertura que pode ter que ser construída caso a festa seja ao ar livre, para proteger da chuva que talvez nem caia, do DJ que vai animar a pista e de muitas outras coisas que não temos nem ideia do que são, mas sabemos que são caríssimas como tudo isso. Mas vamos falar logo do vestido.

Vestido de noiva é a roupa mais cara que uma pessoa vai comprar na sua vida, e o pior: ela vai usá-la uma vez só. Além disso, é uma grande injustiça a pessoa pagar tão caro em uma roupa e não poder postar antes na *hashtag* pro público brasileiro acompanhar e votar se o look está bom. Muito dinheiro pra pouco tempo de exposição, imaginem que tristeza.

Nesse momento percebemos quem é boa mesmo em driblar as dificuldades de postar pouco, e vence quem posta *teaser* do tecido com pedacinhos dele em detalhe (foto do estilista em seu atelier, referências de croqui, *selfie* acordando e no caminho da prova do vestido, qualquer coisa que possa entreter os seguidores que esperam dia após dia o momento de finalmente ver o sonho pronto).

Vestidos de noiva custam milhares de reais, aparentemente. Eles custam muito caro quando alugados, eles custam um carrinho popular quando não são exclusivos, e podem custar cem mil reais ou até onde a imaginação e o dinheiro alcançarem. Faz sentido pra você? Pra nós, não, mas para as pessoas parece que sim.

Afinal essa ilusão de que aquelas horas do casamento vão ser as melhores da vida da pessoa justificam uma roupa tão cara para ela ser tão feliz. Nossa ilusão de um momento verdadeiramente feliz somos nós com todo esse dinheiro em volta da gente, enquanto jogamos para cima notas de cem reais infinitas, igual a Xuxa fazia com as cartinhas dos telespectadores, enquanto pensamos o que vamos fazer com esse dinheiro.[8]

---

8. Comprando este livro você pode ter nos ajudado a, neste momento, estar em uma cobertura em Las Vegas jogando dinheiro para cima e gargalhando. Pensem na gente sempre com essa imagem, pois o pensamento positivo faz as coisas realmente acontecerem.

Mas para todas as pessoas que não tiveram essa ideia de se cercar de dinheiro e gastaram toda aquela quantia em um vestido, só resta uma alternativa: postar suas fotos vestida de noiva para sempre. Está então explicado algo que sempre nos intrigou: por que noivas mudam suas fotos de perfil das redes sociais para uma foto delas vestidas de noivas, e continuam postando aquele dia, o que nos faz acompanhar por meses cada ângulo do vestido desde a entrada da igreja até a jogada do buquê, além de repostagens comemorando os meses de casamento e os anos. Pensando bem, até que é uma boa ideia, porque isso nos faz torcer tanto para uma novidade na vida da pessoa que torcemos para ela engravidar ou fazer um projeto fitness novo logo, assim paramos de ver fotos de véu e grinalda e começamos a ver fotos de ultrassom ou shakes de proteína que tanto ficamos com saudade. Olha aí o pensamento positivo atuando de novo.

Mas por que uma pessoa passa meses da sua vida fazendo *hashtags*, gastando fortunas, se preocupando em atualizar seus seguidores em cada passo da sua tão aguardada festa? Por que o casamento mexe tanto com o psicológico de uma criatura e faz ela depositar tantas esperanças em uma data do calendário?

Para o sociólogo Reinaldo Cardenuto, o que acontece é:

> Hoje as pessoas têm grande dificuldade em estabelecer uma relação afetiva estável e isso cria uma ansiedade. É como se ela dissesse: "Ah, agora que eu consegui ficar noiva eu preciso fazer uma grande festa, isso tem que ser o trunfo da minha vida, preciso mostrar para todos que eu não vou ser uma pessoa solitária". Além disso, elas têm uma dificuldade em relação ao cotidiano e à rotina, vivem com a ideia de que a vida tem que ser especial sempre. Se eu for casar, tem que ser o casamento da minha vida. É uma necessidade totalmente implantada de que "eu preciso ser especial" e, se não for, não sou nada. As pessoas querem transformar a vida numa comédia romântica.

Muito além das razões clássicas de que o casamento é o momento que as pessoas mostram pra sociedade uma mudança de status (e mostram que passaram de fase e agora são adultas), ser noiva é a chance de ser famosa por um dia.

A começar pelo fato de que estamos aqui falando de casamento por muito tempo e ninguém jamais citou o noivo, apenas isso. Casamento é uma coisa de noiva, não é uma coisa de casal nem uma prova de amor, é tipo a estreia da turnê de uma popstar internacional com exibição ao vivo na internet.

Uma noiva tem sua própria comitiva, tem ensaios, provas de roupa, prova de maquiagem, especialistas cuidando da sua aparência, uma assessora para marcar reuniões e agendar eventos, tipo provar sabores de bolo, além de ter uma família ansiosa que vive os dias esperando seu grande evento, qualquer popstar precisa de uma família perto dando depoimentos no seu DVD.

Enquanto isso o noivo foi trabalhar, voltou para casa, dormiu, um dia ele experimentou um terno e foi para uma igreja. Esse negócio de casamento é muito estranho.

No dia do casamento, a noiva tem vários paparazzi a perseguindo. Desde o cabelo e maquiagem até o momento em que põe o pé para fora do carro, cada passo seu antes e depois de dizer "sim" é registrado. São cliques enquanto dança, enquanto beija crianças, enquanto conversa com primos de terceiro grau que não sabe o nome e enquanto corta o bolo (que ninguém come). Além do paparazzo, também tem cinegrafistas filmando o making of daquele dia tão especial, que pode gerar um DVD, um canal de YouTube ou um vídeo muito bem editado e com músicas emocionantes. A noiva é a protagonista do seu primeiro filme e às vezes essa edição é tão longa que ela acaba sendo protagonista de um longa-metragem, longa que exibe em sua casa para os convidados, podendo exibir até mais de uma vez, como se as pessoas não tivessem participado daquele dia. Agora imagina se você vai na casa do Cauã Reymond e ele te mostra um trecho do novo filme que fez? Caso ele faça isso, achamos meio egocêntrico. Mas ficaríamos com ele mesmo assim, claro.

Até aqui, falamos do básico do básico da loucura do casamento, mas nem começamos a comentar quando a loucura passa do nível da loucura e tudo isso acontece em outro país. Ou em uma ilha deserta, em uma fazenda distante com estrada de terra sem nenhum hotel por perto, em um destino isolado da humanidade.

Pois a indústria do casamento virou uma coisa tão lucrativa no Brasil que só ter um casamento caro e com muitos convidados e *hashtags* não significa mais nada, a indústria do casamento ficou tão rica que ela ficou mais rica que a indústria do turismo, e as pessoas começaram a planejar tudo isso, só que em um lugar muito distante, para se sentir mais especiais e mais exclusivas, e deram até um nome: *destination wedding*.

Coitadas das pessoas que recebem um convite de casamento que vem com um mapa — é certeza de trabalho pela frente. Afinal, caso você não tenha percebido ainda, os convidados também gastam quando vão a um casamento. Eles se envolvem nessa festa do dinheiro e têm que comprar presente, arrumar vestido, maquiagem, sapato. Agora as pessoas querem que os convidados viajem pra ir à festa delas. Por que não fazem então uma pesquisa antes com os amigos e votam no lugar para onde todos querem viajar e o mês que querem tirar as férias e vão todos juntos para um canto realmente legal, curtir?

Sabe onde poderia rolar essa pesquisa? No site do casamento. Porque casamento tem site, um domínio com o nome dos noivos e um layout especial, onde dá pra conferir desde dicas de hotéis, presentes, como se vestir, até a história dos noivos em fotos e enviar recados para eles. Afinal, se eles convidaram a pessoa, ela nem deve ter eles no Facebook para ver as fotos no álbum e enviar um inbox pra eles, não é mesmo?

Tem sorte quem não é a madrinha, porque é passado a história de que madrinha só tem que dar um presente caro. Hoje além de dar um presente caro, ela também tem que organizar o chá de cozinha da noiva, o chá de lingerie e fazer uma vaquinha para bancar os custos disso. O noivo, esse desconhecido, se livrou do chá de cozinha e do chá de cueca, pois não é obrigação dele fazer jantar e muito menos usar cueca boa. Ele pode ficar tomando cerveja enquanto aguarda sua despedida de solteiro e os padrinhos não precisam organizar nada, e nem pagar nada, pois são mais desconhecidos que o noivo desconhecido. Eles são praticamente inúteis em um casamento (o noivo é mais ou menos inútil se você pensar bem).

Outra moda também é a viagem de despedida das madrinhas e da noiva, quando elas vão para algum lugar tipo praia ou outro país, fazer uma nova *hashtag* pra gente, e aparentemente beber e usar adorninhos de cabeça. A noiva usa seu miniveuzinho, afinal ela é uma noivinha, as madrinhas podem usar orelhinhas ou óculos coloridos, fique à vontade para escolher.

As madrinhas gastam tanto que elas só podem se vingar disso casando e obrigando aquela noiva a fazer tudo isso por elas. Deve ser por isso que quando um casamento acontece, todos acontecem na sequência, como uma corrente obscura da vingança. E deve ser por isso também que os destinos ficam cada vez mais bizarros. Se uma pessoa casa na fazenda e obriga as madrinhas a viajar na estrada de terra e estragar os vestidos na grama, o próximo casamento com certeza vai ser em uma ilha para obrigar as madrinhas a chegar de bote.

Também podemos estar completamente enganadas e é possível que essas pessoas sejam amantes de adrenalina e aventura, o que explicaria casamentos distantes e destinos exóticos.

Mas casamento também tem um lado bom: bebida de graça. Brincadeira, quando o casamento é de alguém de quem você é muito amiga ou até de alguém que você mal conhece, ele emociona sim, porque o amor é uma coisa bonita, e ver duas pessoas felizes que se amam é legal. Mas vamos desviar esse foco, vamos pensar na celebração, que começa exatamente duas horas depois do primeiro champanhe servido, quando as pessoas perdem o controle.

Cada centavo dessa caríssima festa vale quando os convidados ficam fora de si. A festa do amor vira rave, tios e tias são desmascarados na pista de dança, pessoas se abrem, casais se formam e se desfazem, e cada música que toca é a música da vida daquelas pessoas. Coisas muito estranhas acontecem em casamentos.

***

Música de casamento é ruim, mas é boa. Não tem outra coisa para fazer ali que não seja dançar aquela música, afinal as pessoas se arrumaram muito para estar ali, não dá pra ir embora cedo. Mesmo assim o DJ vira uma estrela e as pessoas o veneram, pedindo outras músicas péssimas, mandando beijos e dizendo que ele é demais. O DJ sempre domina a cena e vira o ídolo, até porque ele é muito mais acessível que DJs de baladas e festivais, pois é seu personal DJ, mais acessível também que a noiva, a estrela da noite, que está trabalhando eternamente seu "meet & greet" com os convidados. Assim que a noiva percebe que o DJ está bombando, ela sempre vai na cabine e fica ao lado dele, pois diva pop que se preze não divide a cena no seu dia. A galera vibra!

Quem acompanha de casa, que viu tudo acontecer durante meses, está com o coração na mão nessa hora, são os últimos suspiros de uma *hashtag* tão linda que durou tanto tempo. #casamentobruenando #casamentomariepatrick #casamentotatielipe. Dói quando acaba.

Mas é questão de tempo, porque, pelo que notamos, o casamento não acaba naquela noite para o grande público. Hoje as pessoas compartilham também sua lua de mel, e temos a chance de migrar para uma nova *hashtag*, que vai mostrar cada piscina, cada look com chapéu na praia, cada mergulho com golfinhos e até o noivo, que até então não conhecíamos, afinal casamento não envolve noivo, como já sabemos.

Listamos aqui tudo que gastaríamos caso tivéssemos 700 mil reais para usar em apenas uma festa (inspiradas no orçamento-base de 700 mil reais dos casamentos famosos de São Paulo).

Este seria nosso #casamentocamiejana:

Cerimonialista: *Inri Cristo, que chegará pilotando sua motinho.*

Dress code: *drag queen.*

Atração musical: *Corona feat Double* U *feat Ace of Base. Backstreet Boys sai um pouco caro, então traremos um DJ set do Aaron Carter com o Jordy.*

Decoração da festa: *para a cerimônia será construído um castelo de gelo com uma pista de patinação roller para os convidados. A festa será em outro local. No meio da festa estouraremos uma piñata ao invés de jogar o buquê. De dentro da piñata cairão potes de Nutella. Um parque no estilo quermesse será montado para os convidados, com chão inflável de pula--pula.*

Buffet: *serviremos tacos no lugar do bolo.*

Traje das noivas: *nossos vários vestidos mostrarão uma retrospectiva dos melhores looks da Cher.*

Atrações: *uma equipe de artistas fará pinturas realistas dos convidados, e um dos artistas receberá o espírito de Van Gogh.*

Presença vip de: *Kleber Bambam e gêmeos Flávio e Gustavo.*

Brinde: *novo modelo de iPhone para que mesmo os convidados sem bateria no celular postem fotos da festa com a hashtag #casamentocamiejana.*

Leitoras e leitores, compartilhem a hashtag #casamentocamiejana nas redes sociais toda vez que forem a um casamento e nos ajudem a bombar nossa festa.

12

NUMEROLOGIA DOS TRINTA COM APARECIDA LIBERATO

Se você tem por volta de trinta anos em 2015, deve muito da sua formação ao Silvio Santos. Como dizia o falecido Orkut, o SBT formou nosso caráter, afinal a nossa infância nos anos 80 e começo dos 90 mal tinha TV a cabo ou, se tinha, era tão cara que ninguém podia pagar.

Nossas opções de canais eram poucas, então é claro que a gente escolhia assistir o canal de um cara que jogava dinheiro para caravanas, fazia pegadinhas sem noção, tinha jurados incríveis e trouxe para o nosso dia a dia pessoas importantíssimas como Chaves, Chapolin, Maria do Bairro, Usurpadora e seu pupilo Gugu Liberato, que tinha os melhores quadros na tarde de domingo. Depois de almoçar na casa da nossa avó, sentávamos na frente da TV e Gugu se vestia de taxista, dava máquinas de fralda para as pessoas se estruturarem financeiramente e presenteava cantores de pagode em gincanas na banheira com minicavalinhos de plástico, barracas e bambolês. Foi o Gugu que nos apresentou Aparecida Liberato, sua irmã numeróloga dos famosos, que falava dos mistérios por trás dos números e datas.

Quando decidimos fazer um livro sobre os trinta anos, mandamos um humilde e-mail para nossa musa numeróloga, pedindo uma entrevista sobre o número trinta. Qual foi nossa surpresa quando Aparecida topou e ainda foi simpática e solícita? Só pode ser absoluto sinal de sorte, com certeza a soma da data e hora que mandamos o e-mail mostrava sucesso e prosperidade como resultado.

Com vocês, a numerologia dos trinta, por Aparecida Liberato:

➔ Como a numerologia explica os trinta anos?

Vivemos ciclos de experiências que se repetem a cada nove anos. Aos 27 anos todos encerramos um ciclo e, aos 28, iniciamos outro. Nessas idades a vida passa por uma transformação importante. Começamos então a nos distanciar da energia e das características aprendidas e trazidas de outra existência. Deixamos a nossa zona de conforto para enfrentar e lidar com desafios desconhecidos e vivenciar a nossa Lição de Vida (que é a soma da data de nascimento). É o momento de transmutação e evolução da alma, a entrada na idade adulta.

A chegada aos trinta anos, portanto, traz uma carga enorme de transformação pessoal: novos vínculos e novas responsabilidades que começaram a ocorrer aos 27, 28 anos. Acontece que o 30 vibra a energia 3. O número 3 traz a energia da liberdade. Como estar tão envolvido por responsabilidades se você deseja liberdade? Essa contradição gera insatisfação. A pessoa tomou tantas decisões aos 27 e 28 anos e agora, aos trinta, não sabe mais se é isso o que deseja. Vem as rupturas de relacionamento, as viradas na profissão, a desistência do trabalho, a necessidade de viajar, de conhecer outras pessoas, e viver a vida de maneira solta e livre. Vem o medo da responsabilidade e de ter que solucionar problemas.

O número 30, terminado em 0, tem a proteção divina. É um número de expressão e comunicação. Manifesta a alegria de viver. Traz a graça, a simpatia, a beleza e o entusiasmo. A exuberância, a vitalidade e a vontade de se sentir apreciada e valorizada. A liberdade faz parte desse número, que não permite que a pessoa se sinta bem em ambientes fechados ou controlados. Aos trinta a pessoa quer voar como uma borboleta. Cheia de cores, bela, quer conhecer outros jardins.

➔ O número 30 é um número positivo ou negativo?

Todos os números têm aspectos positivos e negativos. Existem aspectos negativos do 30, como o exagero, a tendência a fazer drama, a atuar como em um teatro se exibindo ou inventando histórias a fim de fazer com que os outros se emocionem. Pode chegar a se comportar como uma criança para chamar a atenção sobre si.

➔ Muitas pessoas te procuram nessa idade? O que elas buscam saber ou mudar?

Aos trinta as pessoas têm dúvidas sobre muito do que ficou definido nos seus 27 e 28 anos. Muitas delas estão formadas, inseridas no mercado de trabalho e querem mudanças. Estão insatisfeitas com suas escolhas. Desejam mais liberdade. Não sabem o caminho a seguir e não estão entendendo o que acontece com elas.

➔ Qual é a idade de mais crise em nossa vida segundo a numerologia? Os trinta seriam apenas o começo? Em breve virão mais crises?

Os fechamentos de ciclo — como o 45, 54, 63 — são sempre perturbadores, porque têm a ver com o desapego. São anos em que a emoção está muito forte e a pessoa precisa ter entendimento e atitudes racionais.

13

AOS TRINTA VOCÊ NÃO TEM MAIS A VIDA SOCIAL QUE TINHA?

Pode acontecer aos trinta: uma balada nova abre e você nem fica sabendo, não dá pra ter certeza se é uma balada ou um restaurante com neons, ou uma loja de design, ou um espaço temporário no topo de um prédio patrocinado por uma marca de bebida (em São Paulo sempre é isso). Você vê algumas pessoas na *timeline* do Instagram nesse lugar misterioso, tirando foto exatamente do mesmo canto e do mesmo ângulo e do mesmo neon; você então encontra a *hashtag* do evento e entra para ver quanta gente descolada existe e como você não é descolada, porque não foi convidada e nem sabe do que se trata, mesmo que esteja stalkeando.

Você chegou aos trinta sem vida social. Onde você estava que não percebeu que sua vida social acabou? E quando ela acabou? Como foi esse fim? Teve alguma despedida pra ela? Teve algo traumatizante que causou isso? Foi culpa sua?

Pode até se enganar agora e pensar que tem vida social sim, porque sai para jantar na casa de um amigo com mais três pessoas ou vai ao bar uma vez por mês. Mas, desculpe, lembramos que você estava sempre nas baladas e chegava em casa às sete da manhã depois de comer um dogão de madrugada com o rímel borrado. Bom, se você nunca fez isso, não temos como lembrar, pois nunca nos conhecemos. Você estava em casa esse tempo todo enquanto nós comíamos um dógão às sete da manhã na saída da balada.

Aos trinta e sem vida social, um dia você repara que seu círculo de amizade é o único que não tira fotos na nova balada exótica com neons e no topo de prédios, porque vocês são miados e nem se falam na sexta-feira; o fim de semana é sagrado para cada um dormir e assistir a maior quantidade de séries que conseguir. Você já não tem nem pra quem perguntar se aquele lugar que aparece na sua *timeline* é uma balada ou um restaurante com pista de dança; você até gostaria de saber se é legal e se vale a pena ir, mas encara a realidade e lembra que não vai, jamais irá, porque tem que pegar fila e agora mais nenhuma hostess te conhece. É muito triste quando ninguém que você conhece jamais estará em uma balada na sexta ou no sábado (em dia de semana então, risos), porque é como se na cidade não existisse mais vida noturna. E vida noturna até era uma coisa boa, dá pra puxar pela memória meio recente que você tem dela.

A balada é um lugar que vai perdendo um pouco de sentido na vida mesmo, ela tem odores estranhos que você nunca antes sentiu. O intuito de ir a esse local com odores estranhos seria dançar, mas é sempre um lugar lotado que não dá pra dançar, mal dá pra andar, e as pessoas dão muitas cotoveladas umas nas outras, além de ter filas enormes e desorganizadas sempre. Outro intuito desse ambiente é beber, mas a bebida custa de três a dez vezes mais que em um bar, e também tem fila para comprá-la — conseguir uma cerveja ou um drink é sempre uma saga muito cansativa. Beber dá vontade de fazer xixi e fazer xixi vira outra saga, porque os banheiros sempre têm filas enormes e nunca têm papel, ou sempre têm cinco pessoas por cabine que demoram horas. Por fim, a ideia de ir à balada é ficar com alguém, caso você não seja comprometida (ou caso seja comprometida e queira ficar com alguém, quem somos nós pra julgar?). É fácil "pegar" alguém na balada porque com a escuridão e música alta as pessoas não se veem e não se conhecem, então não dá pra saber se uma pessoa é feia ou se fala merda num textão no Facebook, mal dá pra saber o nome; se tiver bebida envolvida então, pode não lembrar o nome nunca mais.

No Brasil os homens puxam as mulheres na balada de uma forma bizarra: você está andando e um cara pega seu braço dizendo algo do tipo "Vem aqui, linda!", e se você não for, ele te xinga e pode dizer coisas como "Eu nem queria ficar com você, feia, gorda, bagulho"... Só de lembrar isso dá vontade de nunca mais pisar em nenhuma balada, mas vamos lá, força!

Talvez a balada perca o sentido quando você fica mais velha, porque depois de trabalhar a semana inteira, tem que ter muita disposição pra se arrumar e sair de casa de madrugada em um sábado, um dia tão sagrado, com uma programação ótima na TV aberta, como Teste de Fidelidade, do João Kléber, e que antecede o domingo, um dia sagrado para comer carboidrato e ver TV triste, pois a segunda está chegando e você não vai mais poder passar um dia inteiro deitada.

As redes sociais são uma benção. Pelo menos elas existem pra te mostrar que ainda existe vida na noite, que ainda existem clubes e festas e bares lotados e da moda, muitos deles com pessoas — pasme — que têm mais de trinta anos, às vezes até mais de quarenta, cinquenta, sessenta, pessoas realmente guerreiras que estão lá pra te mostrar uma vida que não te pertence mais. Sua balada agora é ver séries e jantar com amigos e voltar pra casa à meia-noite. Mas não fique triste, se você investir bastante no seu stalking, pode até descobrir o nome daqueles lugares com luzes neons e fingir que faz parte deles de alguma forma.

Pode acontecer aos trinta: você vê cada guerreiro ao lado desistindo e cedendo ao pijama, aos seriados e ao delivery; alguns são abatidos por namoros que viram casamentos ou até por bebês — os grandes inimigos da vida social —, que acham que só eles têm o direito de ficar acordados de madrugada. Mas estranhamente não bate em você a vontade de se aposentar da pista de dança. Você descobre então que gosta de balada de verdade e vai vencer todos os desafios do corpo e da saúde para continuar frequentando a noite nos próximos anos, até que seja interditada.

Quando você é "clubber" aos trinta, suas baladas preferidas mudam. Você busca mais qualidade, lugares com pessoas não tão jovens, como galera da "facul", e prefere não pegar tanta fila para entrar, comprar bebida e pra ir ao banheiro, se tiver essa escolha, porque já batalhou muitos anos na pista, não tem mais que batalhar tanto. Ser clubber aos trinta é legal porque você começa a prestar atenção na música e em como é bom dançar. Não vai à balada apenas para dar pinta ou paquerar, você passa a conhecer os verdadeiros sobreviventes da noite, que continuam gostando de ter vida social, e admira cada vez mais essas pessoas. A clubber de trinta anos conhece os donos de festa e a hostess porque nunca desistiu e fez alianças verdadeiras, pra vida toda. A clubber de trinta usa o termo clubber achando legal, pois já viu ser moda, cafona e moda de novo, já até ficou com saudades de falar que alguém é clubber.

Aos trinta e com vida social, toda vez que você escuta uma música alta vindo de um lugar perto, fica triste por não estar lá se divertindo, ao invés de ficar brava porque queria silêncio na sua casa para ver TV. Toda vez que passa um grupo de pessoas bonitas, jovens, se divertindo,

indo em uma direção, dá vontade de segui-los pra descobrir se é uma festa, bar, balada ou *rooftop* que valha muito a pena.

A clubber de trinta sabe que vale muito a pena continuar saindo, pois algumas coisas nunca mudam: a balada continua rendendo histórias absurdas e malucas que só aumentam seu repertório de casos engraçados para conversar com os amigos, sobretudo aqueles que você só encontra em jantares porque desistiram da vida social. Você é a juventude deles e o único elo entre a turma casada, com filhos, ou os desistentes, e a vida noturna e a diversão. Toda ressaca vale a pena depois de saber que você é o elo jovem de uma turma miada. É uma linda missão na Terra.

14

Apps de paquera aos trinta

Aqui vai um apelo: chega de preconceito com aplicativos e sites de namoro e paquera!

Quem você pensa que está enganando? Se você está na faixa dos trinta agora, faz parte da nata do relacionamento virtual e lembra muito bem de quando nasceu o amor cibernético. Há mais ou menos dezessete anos, a humanidade se viciou em salas de bate-papo e começamos a conhecer pessoas e conversar durante horas reservadamente, contando do que gostávamos, descrevendo como éramos fisicamente e falando sobre a vida com um nickname que virava a nossa marca registrada.

Estamos falando aqui de uma época que não tinha câmera digital, não tinha imagem sua na internet, e nem Google tinha, porque o site de buscas era o Cadê ou o Altavista. Você entrava em um chat e usava a sua imaginação para o bem e para o mal. Tanto dava para mentir quanto para ser romântica e acreditar em qualquer coisa que te diziam.

Aos treze anos você conhecia um cara bronzeado, surfista, skatista e superlindo chamado Rodrigo de Niterói e percebia que tinham tudo a ver nas horas de conversa depois do almoço, no horário mais caro da internet discada, uma grande prova de amor. Só que você nunca via uma foto do Rodrigo de Niterói, ou mesmo conhecia ele, apesar de no fundo saber que ele era sim surfista, skatista e bronzeado. E inclusive o Rodrigo acreditava que a celebridade com quem você mais parecia era a Liv Tyler, pois naquela época a internet era assim.

Nossos pais ficavam preocupados com essa coisa de "bate-papo" porque tinham medo de criminosos e não entendiam direito o que a gente fazia por tanto tempo na frente do computador. Mas então começaram a aparecer matérias no *Fantástico* de casais que se conheceram surfando na rede, alguns até de países diferentes. E todo mundo percebeu que o amor nunca mais seria o mesmo.

E então vieram Mirc, ICQ, MSN, Orkut, Fotolog, Facebook, Twitter, Instagram, WhatsApp e as pessoas nunca mais pararam de se conhecer e de se unir por causa de sites, redes sociais e aplicativos. A internet sempre uniu casais — assim como separou, mas isso não vem ao caso.

Mesmo depois de tudo isso, os sites de namoro continuaram marginalizados, como se fosse um absurdo alguém querer conhecer uma pessoa pela internet, como se a gente não fizesse isso o tempo todo. Até hoje, se uma amiga sua fala que conheceu um cara na internet, é muito provável que você ou alguém próximo comente algo do tipo "mas cuidado, pode ser um maluco psicopata". Como se ninguém ficasse o dia inteiro na internet, até minutos antes de dormir, até derrubar o celular na própria cara quando está na cama olhando o Instagram; até acordar e se atrasar porque fica olhando todos os aplicativos sessenta vezes, como se fosse aparecer algo novo em cada um deles.

Quando lançaram o Tinder, um dos aplicativos de paquera mais famosos do mundo atualmente, parecia surreal que pudéssemos passar fotos com o dedo para a direita ou para a esquerda na tela do celular e que isso nos faria decidir com quem ficaríamos ou não.

O Tinder foi lançado em 2012 e, no mundo da internet, o que foi lançado na semana passada já é velho e ultrapassado, e mesmo assim as pessoas continuam achando estranho ou deprimente, ou dando risadinhas ou tendo preconceito com quem usa o aplicativo.

Em alguns países conhecer alguém em um app já é tão normal quanto em uma festa, bar ou supermercado, casualmente. Mas aqui no Brasil, sempre que baixamos o Tinder, o OkCupid, o Happn, o Kickoff ou algum app de paquera parecido, temos a necessidade de justificar pra todo mundo ou pra nós mesmas a razão de fazermos isso.

"Entrei só pra olhar", "Entrei só pra dar risada", "Entrei só pra ver como funciona" e "Entrei pra ver se eu conheço alguém que está lá" são as desculpinhas mais comuns. Qual é o problema de falar: entrei porque eu quero conhecer alguém?

Mas fica difícil mesmo, já que toda vez que aparece o ícone do app no seu celular, aparece também algum amigo, amiga, conhecido tirando um sarro, como se estar no app de paquera fosse o auge do desespero. E não como se vestir uma roupa mais arrumada numa sexta-feira à noite, se maquiar, pagar um táxi, entrar em uma fila, beber drinks caros em um lugar lotado, enquanto está cansada, enquanto poderia estar dormindo ou vendo filmes maravilhosos e seriados não fosse o verdadeiro auge do desespero.

Sério mesmo que vocês acham que entrar no app de paquera de pijama enquanto busca alguém é muito mais desesperado que ir à balada? Ou um bar no sábado à noite? Sabe qual é o tamanho da fila de espera de um bar no sábado à noite?

Vença o seu preconceito e baixe um app de paquera ou assuma que você tem ele, afinal ficar negando que está usando aquilo para encontrar alguém traz uma energia ruim junto. Quando você assume que quer sim que o app funcione, o universo te manda de volta o que você pede.

Inclusive, isso é com tudo na vida, mas não vamos aprofundar, pois não gostaríamos de ficar ao lado de *O segredo* nas prateleiras (nota aos livreiros amigos).

Não é fácil escrever sobre esse tema numa dupla formada por uma solteira e uma casada, porque as pessoas casadas que nunca usaram um app de paquera não entendem metade da magia dele. Pensando nisso, organizamos uma lista de fatos e curiosidades sobre o uso de apps de paquera, esclarecendo para pessoas casadas/comprometidas (ou pelo menos aquelas casadas e comprometidas que não estão nesses apps escondidas, que a gente saiba) e para quem nunca usou o que vivem todos os dias as pessoas guerreiras que estão nos aplicativos.

➔ Qual é a diferença entre uma agência de encontros e um perfil no Tinder, Happn, OkCupid, Kickoff, InstaMessage etc.?

Começando pela praticidade de não ter que sair de casa e ir a uma agência de encontros, afinal, algumas cidades do Brasil têm os piores trânsitos do mundo; sair de casa para resolver algo pode causar estresse, dores no peito e síndrome do pânico, e, além disso, hoje em dia resolvemos tudo on-line ou por apps.

➔ Mas na agência de encontros a pessoa quer uma coisa séria, se ela foi até lá está em busca de um relacionamento. E num app?

Muito interessante a sua pergunta. Veja bem, os apps têm essa coisa despretensiosa, que na agência não existe, pois nelas você já vai com a expectativa e obrigação de dar certo. Já no aplicativo, você conhece as pessoas e vê o que acontece, podendo ser um relacionamento, apenas sexo ou amizade. Tudo pode acontecer e você não tem o peso de ter que casar. Casar é muito definitivo e falamos sobre isso em outro capítulo, atenção!

➔ Mas o Tinder e derivados são meio bregas, não são?

Não é que o Tinder seja brega, acontece que alguns bregas entram no Tinder (o.k., algumas vezes eles são a maioria).

➔ Brega como?

Todas as pessoas que aparecem nos jornais dizendo que se conheceram no Tinder e fazendo pedidos de casamento em público, tatuagens sobre o aplicativo ou juras de amor eterno. Todo mundo que acha que a sua história de amor precisa ser mostrada para o mundo porque ela é muito especial. Atenção, ela NÃO É ESPECIAL. Ela é especial para VOCÊ, SOMENTE PARA VOCÊ.

➔ Mas eu não quero ir pra TV me achar especial, eu quero encontrar alguém na vida, por uma coincidência, como em um filme.

Mas encontrar alguém que combine com você em um aplicativo baixado por centenas de milhares de pessoas e vocês terem tudo a ver não é uma coincidência mágica?

Os apps de paquera na prática

A primeira coisa que você enfrenta quando entra no aplicativo de paquera é escolher uma foto de perfil e montar seu álbum. Como você ainda não está nesse universo, provavelmente escolhe uma errada. Aqui vai um conselho baseado em uma pessoa séria que apresentou essas estatísticas na internet (não lembramos de que universidade ela era, mas era de alguma bem famosa): sua foto não pode ser bonita demais.

Motivos para sua foto não ser bonita demais: as pessoas podem achar que você é uma farsa, podem achar que elas não são bonitas o suficiente para você, podem te conhecer e te achar menos bonita do que na foto do Tinder, que é a pior coisa (na verdade existem muitas outras coisas piores, mas queremos dar um tom dramático a essa frase, já que não sabíamos como terminar).

Mas você tem que escolher uma boa foto, claro! A sua melhor foto, provavelmente. Mas não pode ser uma em que você parece uma modelo capa de revista posando, tem que fingir uma naturalidade do tipo "olha eu sendo bonita no meu dia a dia". Mas note que isso é só uma sugestão, faça o que quiser. Claro que se quiser seguir sempre nossas sugestões vamos preferir, pois temos 96 horas de trabalho de pesquisas em apps de paquera.

Foto atual, um tabu: sabemos que você é aquela mesma pessoa que você era em 2007, mas isso é por dentro, na sua essência claro que você é. Algo muito comum nos aplicativos é as pessoas usarem fotos de dez anos atrás, dez quilos atrás, dez rugas atrás, 9 mil fios de cabelo a mais. Pode ser uma tática de foto mais bonita, mas também pode ser um saudosismo da parte da pessoa, que ama muito aquela época e quer relembrar, por que não?

O que talvez não funcione na sua primeira foto? Segurar um prato de macarrão, pôr uma foto desfocada, se vestir de fantasma ou de Fred Krueger, aparecer operando uma pessoa e vestindo um jaleco ou usando armas. Acreditem, vimos tudo isso em uma rápida busca.

No álbum, você deve retratar seu universo em quatro ou cinco fotos. Mas vamos logo dizendo o que faz sucesso no Tinder brasileiro: fotos com animais selvagens, tipo onça, leão e tigre. Se for albino, melhor. Fotos turísticas para mostrar que viaja. Fotos de aventura, no topo de uma montanha com braços abertos da liberdade, em lanchas de alta velocidade, qualquer esporte aquático e meio de transporte de duas rodas. Foto em cima da moto é *match*! Talvez uma foto se divertindo com a turma, pra mostrar que tem amigos e não é psicopata, mas muito cuidado, porque se seus amigos forem mais bonitos que você, as pessoas podem te dar *match* para perguntar se a outra pessoa da foto que não é você está solteira. Já aconteceu, com uma amiga de uma conhecida. Fotos de óculos escuros, evite em todas, pois os óculos mudam os rostos e geralmente deixam as pessoas mais bonitas, mas estranhamente os apps brasileiros de paquera têm obsessão por armações exóticas de óculos escuros — parece que isso é muito importante. Lentes espelhadas coloridas também parecem fazer muito sucesso.

Agora um pedido sobre o *about*, aquela linha abaixo da foto onde você pode escrever algo sobre você: parem de se abrir tanto e contar a vida inteira, tipo "moro sozinho, não gosto de filmes, sou uma pessoa sincera". A gente vai saber isso no chat, segure a ansiedade e pare de deixar seus telefones pedindo para as pessoas te adicionarem no Zap Zap. Aliás, parem por favor de chamar o WhatsApp de Zap Zap, pedimos de coração.

Agora um outro pedido: seria muito bom se todo mundo já colocasse o signo no *about* pra gente conseguir eliminar algumas pessoas não compatíveis e não perder tempo. Se souberem também o ascendente e lua, seria perfeito, os outros planetas podemos tratar direto via mensagens. Caso você seja de signos de terra e ache astrologia uma idiotice, não precisa colocar nada, pois a falta dessa informação já nos fará saber que você é de signos de terra.

Passou a foto pra esquerda, significa que Não. Para a direita, é Sim. Se a pessoa também passou sua foto para a direita ou escolheu o botão coraçãozinho, é um *match*, vocês se curtiram, agora conversem.

Pode acontecer de no começo você chegar com grandes expectativas e romantismo e a cada *match* achar que aquele é o cara da sua vida com base em cinco fotos — o mesmo acontece na vida off-line, quando te apresentam alguém e você fala só oi mas já fica a fim e já faz filminho na cabeça ou quando fica com alguém uma vez e já se imagina escolhendo presente do dia dos namorados daqui a cinco anos. Também pode acontecer de ver alguém que acha muito lindo e seu estilo em apenas cinco fotos e ele não te dar *match*. Isso pode doer no começo. Mas, sinceramente, quantos foras você já levou na vida? Esse é só mais um, muitos também virão ainda.

Depois do *match*, não existe regra, qualquer uma das pessoas pode puxar assunto. O papo sempre é um papinho meio nada a ver, afinal você não conhece a outra pessoa e tem que puxar assuntos do nada, mas é a mesma coisa na balada, não é mesmo? Também não existe regra na hora de se comportar na troca de mensagens: tem gente que some no meio da conversa e não quer nem papo, tem gente que fica horas conversando e nunca se encontra e tem gente que depois de três linhas de chat já quer te conhecer ao vivo. Depende do que você quer no momento também.

E lembrando daquela emoçãozinha que dá quando alguém também te curte, vamos ser sinceras: na maioria das vezes você nem conversa direito com a pessoa ou acaba nem conhecendo pessoalmente, pois tem que ter foco e profissionalismo para fazer um aplicativo de paquera acontecer no plano off-line.

Precisa ter algum grau de cara de pau para conhecer alguém ao vivo direto do app de paquera, primeiro porque se você está ali, você tem a finalidade de ficar com alguém, então quando vocês combinam de se encontrar já está subentendido que vai ter um beijo, uma pegação nesse encontro. Segundo porque ir encontrar alguém que você nem conhece, mas que criou uma intimidade por mensagem, é arriscado — afinal você imaginou coisas sobre a pessoa, tipo o jeito que se veste, se ela beija bem, se o sorriso é bonito e principalmente se ela é cheirosa, limpa, asseada. E ela pode ter uma risada que te dá o maior bode ou um dente superestranho que te incomoda ou uma voz bizarra. Não é à toa que o amor virtual platônico é perfeito: você troca mensagens, nunca conhece e só imagina coisas boas para sempre — mas ao vivo é bem diferente.

Mas se você não tiver essa cara de pau, não vai ter adiantado nada você ter ficado tantas horas conversando em um aplicativo e passando fotos da direita pra esquerda, então enfrente esse desafio e vá mesmo conhecer seu *match* para ver se ele é o cara pra você. Ou a mina.

Lembrando o básico do encontro ao vivo de alguém que conheceu pela internet, desde a época da sala de bate-papo: sempre escolha lugares públicos, com outras pessoas por perto. Pubs são ótimos porque ninguém frequenta pub, só quando quer trair alguém ou fazer algo escondido, mas bares, cafés e restaurantes também são ótimos e neutros, cheios de gente.

Não fique com vergonha por as pessoas em volta perceberem que é um date de app, mas saiba que elas percebem. Se elas forem boas pessoas, vão estar torcendo pra dar certo.

Nós também estamos torcendo muito para que sua experiência de app de paquera dê certo, mas lembre-se: mesmo quando dá errado vale a pena, porque aquelas horas olhando as pessoas são viciantes, e às vezes a gente precisa até se forçar e pensar "só mais dez pessoas e eu paro, eu juro" — e claro que não paramos. Além disso, é uma ótima fonte de nomes criativos, caso você precise de um para colocar em um filho ou personagem, acabamos de entrar e em quinze minutos encontramos Eucler, Jovino, Weldyner, Ramaaton, Jamir, entre outros. Os apps também são o maior portfólio de tatuagens feias do Brasil, então te lembram todos os dias que fazer algo definitivo exige muita reflexão antes.

Na pior das hipóteses, você pode usar todo seu conhecimento em Tinder e afins para puxar assunto em bares e festas com amigos e pessoas que você acabou de conhecer, pois todo mundo ama saber histórias engraçadas de encontros que não deram certo ou ver prints de malucões. Não é fácil mesmo encontrar alguém que te interesse, às vezes aparece um no meio de dois mil, às vezes são as histórias mais absurdas e cabeludas e só, e às vezes até te traumatizam um pouco. Mas longe do celular, na vida, também é assim.

15

RETORNO DE SATURNO

Para escrever este capítulo, entramos em um curso sobre astrologia e começamos a ficar um pouco obcecadas pelo tema. Talvez em algum momento, tenhamos cogitado escrever o livro inteiro sobre astrologia, mas percebemos que astrologia é coisa séria e precisa de muito estudo e dedicação, algo que as pessoas não sabem, porque ficam por aí falando como se astrologia fosse só o horóscopo das revistas, ou pior, que só o signo solar de alguém significa muito sobre a personalidade da pessoa.

Se você não acredita em astrologia, está claro que é porque seu mapa astral te faz não acreditar e, só por ler isso, já está com raiva e nos acha malucas. Sugerimos então que pule este capítulo, pois aqui é papo sério — para nós é o capítulo mais sério —, mas isso é por sermos de signos de água, e olha aí você com raiva de novo.

O bom de estudar astrologia aos trinta é poder mais do que nunca usá-la a seu favor e, para te convencer, seguem alguns exemplos:

➔ **Quando você sabe falar de signos, planetas e casas, nunca mais precisa passar por um momento chato de assunto mala.** Papo de elevador? Comente que a lua está em virgem, é muito melhor do que falar da chuva. As pessoas estão falado de dieta? Fale de mapa astral, saber onde está a vênus de alguém é muito mais legal que calorias. Briga política na mesa? Justifique a crise política e a briga com os astros. Um date sem mistérios: se você está tímida, pode treinar seus conhecimentos fazendo o mapa dele no celular. E dependendo de onde ele tem a vênus e a lua, pode até pensar se quer um segundo date.

➔ Você nunca estará sozinha em um evento que não conhece ninguém, festa, happy hour, aniversário com mesa enorme que em volta de você sentam desconhecidos, pois puxando assunto sobre astrologia **as pessoas sempre vão querer saber o que você tem pra dizer sobre elas, nem que seja pra discordar do que você está dizendo.** E de fato você pode até dar um bom conselho pra quem está precisando e assim acumular um carma bom.

➔ **Nenhum fim de relacionamento será o mesmo**, porque muitas das respostas para o que você sempre se perguntou no fim de um relacionamento podem se encontrar no cruzamento do seu mapa com o da pessoa. Você pode saber agora que a culpa não é sua em um término de namoro, amizade, sociedade ou até em um *unfollow* nas redes sociais.

➔ **Quando você está em um relacionamento, você olha o mapa da pessoa e briga menos**, porque entende as questões que são difíceis de ela lidar ou as diferenças de vocês.

➔ Agora **você sabe que as pessoas são muito mais que o signo solar delas**, então abre seu leque de pessoas e amizades, porque uma pessoa pode ser muito mais capricorniana mesmo sendo do signo solar de gêmeos, caso você ache que não gosta de gêmeos. Mas só pra avisar, agora você não tem mais birra com nenhum signo já que sabe que todos podem ser ótimos e péssimos.

➔ Quando você começa a estudar astrologia, **seus amigos mais próximos são influenciados para entender também**, ficam curiosos e querem saber sobre eles mesmos, ninguém mais fala de assuntos chatos, porque tem coisas mais interessantes para falar, como a posição na lua naquele dia e como isso está afetando as emoções da mesa inteira.

➔ **Existe agora a melhor desculpa para não fazer coisas**, não ir a eventos, não assinar contratos, não comprar eletrônicos e não dar festas de aniversários, que são planetas em ângulos tensos ou retrógrados. Impossível alguém não se sensibilizar (a não ser que a pessoa seja muito tensa e insensível, aí entendemos que não se sensibilize).

➔ **Você tem agora mais uma via para stalkear uma pessoa** e não é mais dando um Google, olhando o LinkedIn e as redes sociais, agora você tem o mapa inteiro dela para stalkear, e isso é coisa séria, porque saber o mapa de alguém é superprofundo. Mesmo quando você não sabe o horário que a pessoa nasceu, dá pra ver os planetas e a lua e entender muito sobre ela, talvez até manipular, mas não vamos falar mais porque vocês podem descobrir que sabemos a lua de vocês e fizemos esta lista para manipulá-los.

Conhecer astrologia também ajuda muito no momento de fazer trinta anos, porque é o tal do Retorno de Saturno. Se você nunca ouviu falar mas é uma pessoa interessada e ainda não mudou de capítulo (deve ter um gêmeos ou aquário em algum planeta bom aí, hein), explicamos melhor com ajuda da astróloga Claudia Lisboa, em uma consulta que ela nos concedeu.

➔ O que é o Retorno de Saturno?

Os planetas giram em torno do Sol e cada um tem o seu tempo de órbita, também chamado de tempo de revolução. Por exemplo, a Terra gira em torno do Sol a cada 365 dias e seis horas, o que dá um ano. Júpiter, a cada doze anos. Saturno gira em torno do Sol a cada 29 anos e meio, o que dá em torno de trinta, arredondando. Então a cada trinta anos Saturno faz um retorno ao lugar de origem.

Temos três ciclos de Saturno: o dos trinta, sessenta e noventa anos. O dos trinta anos é o primeiro momento em que você vai fechar um ciclo para maturidade. Mas, tecnicamente falando, Retorno de Saturno é uma volta que Saturno dá em torno do Sol.

➔ É verdade que a gente já começa a sentir os efeitos do Retorno de Saturno a partir dos 27 anos?

Sim, porque nós não temos apenas o ciclo de Saturno, temos vários ciclos, e um ciclo que é um complemento de tudo isso é o chamado lua progredida, que fecha um ciclo aos 27 anos. Portanto aos 27 você tem também esse fechamento do ciclo da lua progredida.

A Lua e Saturno são valores simbólicos opostos. Com o fechamento do ciclo da Lua você fundamentou e, de alguma maneira, estruturou toda a conquista afetiva. Você já tem um espaço afetivo na vida, já entende melhor as relações, se vê uma pessoa nutrida pela afetividade, pois a lua tem muito a ver com afetividade. Aos 28 anos já se tem uma base emocional, família, amigos etc. Aos 29 e meio você tem uma cobrança de maturidade, que é totalmente diferente, então, entre uma coisa e outra, de fato você já está entrando num ciclo onde as coisas se fecham, onde você tem que repensar. Por isso que dá pra dizer que você começa a sentir os efeitos um pouco antes. A gente sente os efeitos de um momento crítico e que dá impulso para uma nova fase.

➲ Mas ele termina aos trinta?

Não, não é que termina aos trinta. Na verdade cada pessoa, dependendo de como ela está comprometida ou não com a sua maturidade, vai sentir isso por mais ou menos tempo. Se você já está na vida, já não fica esperando que a vida resolva pra você as coisas, já não acha que o mundo deve pra você, e você já tem ideia de que é preciso construir uma coisa por conta própria. Isso tudo já foi. Aos trinta, 31 anos você costuma já estar na estrada.

Agora, se tem ainda uma imaturidade, aí sim que fica duro, é mais difícil mesmo, pois vai sentir os efeitos e a cobrança por mais tempo.

➲ Então se você fica mais consciente dessa mudança você consegue se preparar melhor?

Claro. Eu, inclusive, acho os trinta uma fase gloriosa. Eu acho que fazer trinta anos é aquela coisa de "Nossa, estou pronta pra vida!". Apesar de sentir o peso da responsabilidade, vem aquela sensação de que agora o tempo está contando, não dá mais pra ficar esperando. Mas é um tempo muito bom.

➲ Como você se prepara para o Retorno de Saturno?

Fazendo um fechamento pra balanço. Tem que começar a colocar na mesa o que está legal, o que não está legal, o que está faltando, o que não está faltando. Porque é a partir de agora que o tempo começa a contar, aquela coisa de sair de casa, conseguir um emprego, estar emocionalmente confusa... Com trinta anos você não é mais aquela menina de vinte, quando a vida está toda pela frente, agora é hora de assumir. Não dá mais pra ficar brincando ou esperar que tudo aconteça.

➔ Mas tem a ver você sentir mais ou menos dependendo do seu signo?

Não, isso é de pessoa pra pessoa. Todo dado astrológico é lido de acordo com o cenário de cada um. Depende de como a pessoa está estruturada.

➔ Tem gente que não sente nada aos trinta?

Não sentir nada é estranho, pois tem um fechamento de década, e isso sempre traz um ritual que eu acho bacana — ele chega aos vinte, trinta, quarenta anos. O que algumas pessoas dizem é que não sentiram a crise, não ficaram arrancando os cabelos e tal. Essas pessoas provavelmente estão bem preparadas, estão maduras, já estão ali fazendo a vida delas de acordo com o que elas podem, já lidam melhor com as frustrações, porque a coisa mais importante do Saturno ligada à maturidade é você saber que as coisas não são exatamente como você quer; que você tem limites e os limites ficam muito claros. Não dá para ter tudo e não dá para as coisas serem exatamente como você quer. Então, se antes dos trinta você já tem uma ideia de que precisa saber lidar com frustração, que as coisas não vêm de mão beijada, eu acho que não tem crise.

Eu vejo gente que quer arrumar trabalho, mas para ganhar uma fortuna, e não fez nada pra isso. Vejo pessoas que se comparam aos pais que passaram a vida toda construindo alguma coisa, e querem aos trinta anos comprar uma casa perto da praia... Aí não dá mesmo, vai ser frustrante. Isso é imaturidade e de fato essas pessoas sofrem mais com a chegada dos trinta.

➔ O que Saturno representa no mapa?

Saturno é o corte para a realidade, então é a gente conseguir lidar com ela, saber estabelecer limites. Saturno é o último planeta visível a olho nu, ou seja, aquilo que minha vista alcança. Por exemplo, se você não estabelecer um limite para seu filho, ele vai achar que pode tudo na vida, vai crescer completamente inconsequente, e Saturno serve exatamente para isso, ele impõe limite. Saturno também é o alicerce, como se fosse os ferros de uma construção. No corpo humano ele rege os ossos, que é o que te sustenta, é o que é rígido, durável, tem a ver com investimento, com trabalho, esforço. É regente de Capricórnio, que tem esse aspecto de subir montanha, escalar passo a passo, ter paciência, perseverança, produtividade, tudo isso é Saturno.

➔ E o que você deve fazer quando está perto dos trinta anos e o mundo parece que vai desabar na sua cabeça?

A vida desmorona porque a realidade não é aquilo que nós projetamos platonicamente para nós, como devendo ser o ideal. No fundo, esse é o desmoronar de um ideal impossível de ser atingido. O que leva pessoas a buscar coisas quando são muito jovens é criar utopias, criar sonhos, e mais para a frente você pode perceber que esses sonhos eram ilusões, e que para você construir o que imaginou tem um abismo antes, e é nesse ponto que a vida desmorona. Não que você não possa desmoronar, mas, se um pouco antes de chegar aos trinta anos você começar a cortar excessos e acolher mais o que a realidade te impõe, fica mais fácil chegar perto dos trinta e você perceber que esse é o seu caminho, é isso que eu devo ou quero fazer, e a partir dali você se sente mais segura das suas possibilidades. O grande sofrimento de Saturno é o confronto entre o ideal e a realidade.

➔ Mas e quando você chega aos trinta e não tem a menor ideia do que quer fazer da vida? Quando você se sente completamente perdida?

Vamos dizer que você, quando mais jovem, tenha projetado coisas. Essas coisas podem ser absolutamente desconectadas da sua realidade, e, quando chega esse corte, você simplesmente não tem ideia de quem é ou o que quer, pois você viveu fora de uma realidade. Porque já era pra você ter trilhando um caminho, feito escolhas, escolhas que de alguma maneira passaram por um ideal, mas agora você vai enxugar esse ideal para poder adequar o que você sonhou com a realidade, com aquilo que é possível. Mas quando se chega aos trinta sem ter ideia do que quer fazer, é porque de fato bem antes disso você se distanciou do seu destino, e aí o corte é brutal. Você cai no abismo e tem que começar a construir tudo de novo — esses são os casos mais difíceis mesmo.

Quando isso acontece você vive a frustração de Saturno, que é se dar conta de que fugiu de uma realidade. Normalmente você nem percebe, porque é difícil mesmo, no fim de uma faculdade, por exemplo, perceber que não é bem isso que quer ou até nos primeiros anos de carreira você largar tudo que acabou de começar, mas quando chega aos trinta você tem uma urgência. Um sentimento de que se não fizer agora vai ser muito mais difícil fazer lá na frente. Então essa é uma primeira grande chance de botar na mesa de discussão o que fica e o que vai. O que de fato você quer ou não quer.

➔ É normal nessa fase a gente cortar alguns amigos?

Claro, porque as exigências são outras. Por exemplo, uma exigência nessa época é que haja certa consistência, que haja um compromisso em que as coisas sejam mais sérias. Mas muitas relações não têm nenhum comprometimento com nada, porque cada um tem o Saturno em determinado lugar, em determinada casa, em determinado signo, e aquela casa e aquele signo vão apontar para cada pessoa qual setor está mais em jogo. Para algumas pessoas, é no campo afetivo, e a prova delas ao longo da vida será se estruturar afetivamente, então a crise dela vai aparecer mais nesse campo que no profissional, por exemplo. Nas mulheres acontece também um amadurecimento maior com a vontade de ter filhos, algo que aparece muito claro quando ela entra na crise dos quarenta, que é uma crise mais desarrumadora que a dos trinta anos.

➔ Como é a crise dos quarenta?

A crise dos quarenta é a reunião de três planetas, Urano, Netuno e Plutão, e ainda pega um Saturno de lambuja no meio. Só que a dos quarenta começa em torno dos 37 e vai até os 42 anos. Ela é mais longa e é uma crise de mudança mesmo pra qualquer pessoa, pois se você não faz uma mudança de olhar, vai repetir para a vida toda o que fez até essa idade. A dos trinta, não, a dos trinta é semelhante à dos sessenta, quando você chega aos sessenta fechou uma etapa e vai analisar o que fazer nos próximos trinta anos. O grande truque por trás de Saturno é aprender a arte de envelhecer, e isso é um problema, porque a palavra envelhecimento é um crime na nossa sociedade — o que eu acho uma loucura. Aos trinta anos você sente o primeiro sinal de que você, e todo mundo, envelhece. E como hoje se vive muito mais do que se vivia antigamente, se está muito mais saudável do que era antigamente, não pesa tanto a idade. Mas eu converso com as pessoas de trinta e elas me dizem "Ai, Claudia, a idade está pesando", e eu até entendo. Você não é mais menininha, agora é de verdade; chega de ensaiar, agora é estreia.

➔ Então a crise dos quarenta é pior que a dos trinta?

Dos trinta até os quarenta é quando você vai realizar a base para o futuro. Dos trinta aos quarenta você tem a formação de um alicerce, mas não é que fica pior. Aos quarenta você tem que repensar pra atualizar as coisas, modificar para aquilo não ficar velho, não ficar se repetindo. Se aos trinta você se sente mais velha e precisa assumir a responsabilidade de que as coisas não saem como a gente quer, aos quarenta tem que aprender a sonhar de novo. Já que precisei lidar com a realidade tão dura aos trinta para criar algo sólido, vamos pensar em novos sonhos aos quarenta. Você não amadurece mais aos quarenta, você se reinventa.

➲ É normal também as pessoas terminarem relacionamentos/casamentos?

Sim, é normal acontecer isso, principalmente pra quem já está numa relação há mais tempo, pois é uma espécie de divisor de águas. Mas acho que não é específico nem da carreira nem do amor, e sim de uma idade em que você está comprometido em fazer uma história que tenha consistência. Não se trata mais de entrar numa coisa só pra ver o que vai dar, não dá mais tempo pra isso.

➲ Então é importante a gente saber o que não quer? A palavra não é importante?

É muito importante, é a história do limite, e, já que você tem que lidar com limite, tem que se perguntar: "Do que não abro mão?". Isso tem muito a ver com esse corte para a realidade. Eu há anos e anos falo para as pessoas uma frase, até relacionada com amor, de uma música da Rita Lee que diz: "Papai do céu me dá um namorado lindo, fiel, gentil e tarado". Gente, o dia em que alguém tiver tudo isso, será o ideal! Mas um dia uma cliente disse pra mim: "Mas ela não disse que ele tinha que ser rico" e eu dei muita risada disso, adorei! Ou seja, não dá pra ter tudo. Se você quiser que ele seja rico, ele não vai ser tarado, se você quiser que ele seja tarado, ele não vai ser bonito, se ele for bonito, talvez não seja fiel, então o que não pode faltar? É sempre bom pensar no que não pode faltar. E saiba dizer "não", saiba dizer "Isso eu não quero". É muito bom você buscar a sua realização — quero fazer isso, mas isso não dá muito dinheiro, ou isso não me dá tempo livre, é essa negociação com a realidade, isso só acontece com a maturidade, quando a gente é muito jovem ou ainda criança alguém tem que dizer "não" pra gente.

➔ Algumas decisões devem ser adiadas durante o Retorno de Saturno ou é melhor encarar tudo logo?

Eu acho o seguinte: é importante tomar decisões sim, e é uma época em que se vai tomar decisões, mas a condição pra que você tome essas decisões é que saiba onde quer chegar. Se você toma uma decisão quando está insegura, pode se frustrar, então é preciso primeiro avaliar tudo antes para que então diga: "Não, isso aqui eu não quero mais". Certeza a gente não tem de nada, mas no mínimo precisa estar estruturada para encarar, e saber que não vai ser tudo lindo só porque você decidiu aquilo. Decisões impulsivas precisam ser evitadas; decisões que de alguma maneira você não possa mudar um pouco mais à frente, melhor esperar passar; mas decisões que você já disse que não quer levar adiante tome durante a fase de Saturno.

➔ As pessoas te procuram muito durante o Retorno de Saturno?

Muito, aos montes. As pessoas procuram muito um astrólogo na crise, seja ela qual for. Me procuram muito em época de vestibular, querem uma orientação profissional, me procuram em crise amorosa para saber o que acontece com a relação, para saber de trabalho, para se organizar profissionalmente etc. E não faz muita diferença se é aos trinta ou aos quarenta, é na crise mesmo.

A primeira vez que uma pessoa vem falar comigo em geral é durante a crise, aí depois ela mantém uma atualização, com ou sem crise.

➔ Então é legal fazer o mapa astral antes dos trinta?

Sim, é bem legal. Você já se organiza, organiza o que vem pela frente para ver também quais são os recursos além do Retorno de Saturno, porque às vezes você tem oportunidades incríveis e o Retorno de Saturno é abençoado. Sabe aquela coisa "Ai que bom, estou podendo fazer o que quero"? Para cada pessoa é uma história, não é genérico, só é genérico porque todo mundo tem Retorno de Saturno aos trinta. Mas cada um tem um trânsito diferente para além desse retorno.

➔ E depois que você enfrenta o Retorno de Saturno, as coisas ficam mais calmas?

Sim. O retorno vem pra dar uma arrumada na casa e, depois que ele dá essa arrumada, vem um alívio. Você já está apropriada de si mesma, das suas coisas, com o pé muito mais no chão, sem aquele pensamento de "tenho que ser tudo", ótima filha, ótima no trabalho, ótima mãe... Não, você não precisa de tudo isso, você faz um pacto com a realidade. Eu acho os trinta uma idade maravilhosa. Tem um pouco de folclore em cima dela, mas eu vejo a maturidade, vejo a pessoa sair daquela coisa jovem de que vai dar tudo certo sempre, pois vê que não é bem assim, que tudo precisa de um esforço para acontecer. A angústia é gerada pela fantasia, você tem que dar conta de uma coisa que no fundo sabe que não vai dar. Pra mim, acaba sendo um alívio, e mais: estamos superbem aos trinta anos, a saúde está ótima, a cabeça, boa, tem muita vida pela frente, e tudo com mais maturidade. Eu levanto a bola das pessoas quando elas estão na crise dos trinta anos.

16

AOS TRINTA VOCÊ JÁ ESTÁ ESTABILIZADA FINANCEIRAMENTE?

Chegamos aos trinta e não somos as velhas ricas que imaginávamos quando crianças — nem velhas somos aos trinta, muito menos ricas. A riqueza ainda não chegou, pelo menos pra gente, aliás, está bem longe disso. Na maioria das vezes não sabemos como serão os próximos meses, e, como somos freelas, fica mais complicado ainda fazer um planejamento. As contas, aluguéis, compras do mês, como vamos pagar?

Quando éramos adolescentes imaginamos que aos trinta já saberíamos lidar com dinheiro, entenderíamos as faturas, organizaríamos contas, e talvez até sobrasse um bom dinheiro guardado e tivéssemos uma casa própria. Mas os trinta chegam e muitas vezes nada mudou. O dinheiro continua um mistério, nunca entendemos como é tão difícil ganhar e tão fácil gastar.

A jornalista e assessora econômica Denise Campos de Toledo, autora do livro *Assuma o controle das suas finanças*, explica:

> Acho que há um problema de formação, onde as finanças pessoais ficam em segundo plano na vida das pessoas. Fica muito aquela ideia de que matemática é difícil, desde os tempos de escola, e a maior parte das pessoas imagina que a administração mais eficiente das finanças pessoais exige um conhecimento maior ou dá muito mais trabalho do que ocorre normalmente. Vão administrando instintivamente o que ganham e o que precisam ou querem gastar.

Dinheiro pode ser um tabu, uma dor de cabeça e até um pesadelo na nossa vida. Nós mesmas ficamos tristes e não conseguimos trabalhar ou nos divertir por preocupações com dinheiro em muitos momentos, ou porque ele não está entrando como gostaríamos, ou não vem nem um sinal dele ou porque, quando ele entrar, vai ser usado para pagar contas pendentes. E não tem *bad trip* pior que a *bad trip* de dinheiro, essa que te perturba e te deixa com paranoias e pensamentos pessimistas.

Repare quantas vezes por dia você pensa sobre dinheiro. É muito tempo da nossa vida pensando nisso. E em muitos casos pensamos já com um certo medo de nos aprofundar, pois fazer as contas de quanto gastamos no último ano pode ser o maior terror de uma vida, precisa ter muita coragem para saber quanto você custa por mês e muita emoção rolou na hora de escrever este capítulo, com pessoas não querendo encarar a vida de frente e tentando fugir do escritório.

Somos tão cabeça de pobre que achamos coisa de rico inventar que temos um escritório, mas escritório está longe de ser coisa de gente rica. Então, corrigindo, tentamos fugir do escritório do nosso iate.

Aos trinta você pode até ter uma vida confortável e garantia de dinheiro nos próximos tempos, mas se vê pensando um pouco no futuro, como vai ser, como vai se manter, onde vai morar, como vai ser seu estilo de vida, como vai se aposentar? Esse assunto de futuro, velhice, aposentadoria, segurança aparece por todos os lados. É maluco, injusto, mas é a vida, e talvez todas as pessoas e matérias que nos falam sobre futuro, aposentadoria, velhice e segurança tenham razão, seria bom pelo menos saber lidar um pouco com dinheiro pela primeira vez.

Não somos as mais indicadas para falar sobre dinheiro, afinal somos adultas mas nossa vida financeira ainda está vivendo na adolescência, muitas das nossas amigas e amigos estão na mesma e nem precisa fazer uma enquete no Twitter pra saber que todo mundo quer um relacionamento melhor com o dinheiro — saber como ganhar, guardar ou usar.

Aos trinta você está estabilizada financeiramente? Se estiver a gente não te conhece mas te admira muito, porque em nossa volta ninguém está.

Agora o mundo te considera adulta, a astrologia te considera adulta, você se considera adulta, por que sua conta bancária não é de adulta também? E como lidar com as finanças de uma maneira adulta?

Vamos tentar agora. Para nos ajudar, chamamos a jornalista e autora do blog Me Poupe, Nathalia Arcuri. Com as dicas da Nathalia criamos uma lista do passo a passo para tentar organizar a sua/nossa vida financeira.

❶ Para começar, **saiba quanto você custa**, anote tudo o que gasta por mês, suas contas fixas e extras com diversão, alimentação, cabeleireiro, academia ou seja lá o que você gasta. Se não lembrar e precisar de um tempo, faça esse exercício lentamente anotando todos os dias até ter uma base em um mês ou dois.

❷ Agora **descubra onde pode enxugar esses gastos**. A dica da Nathalia é não cortar o que faz a vida feliz — não precisa parar de ir a cabeleireiro, academia, cursos; encontre um mercado mais barato para fazer compras, um salão e academia que não sejam tão caros. Repare também nas pequenas coisas que você gasta e nem percebe, como compras no iTunes e bobagens na internet, itens desnecessários na farmácia só porque são bonitos. Outra dica muito boa é tentar se controlar bêbada para não pagar drinks para outras pessoas, você pode economizar até 5 mil reais por mês assim.

❸ **Defina suas metas**: como vai ser gasto seu dinheiro e quanto precisa guardar para realizar seus sonhos. O que quer fazer em um ano? E em três anos? Dez anos? E depois? Quanto cada uma dessas metas custa? Escreva tudo no papel.

❹ Sabendo de quanto dinheiro precisa, **defina quanto vai guardar por mês** sempre que seu salário cair. Mesmo que seja freela, guarde dinheiro toda vez que receber pensando nesses eventos do futuro.

❺ **Viva com o dinheiro que sobrar depois que guardar** um dinheiro todo mês e não o contrário.

❻ Antes de comprar por impulso — ou de comprar qualquer coisa — **se faça as seguintes perguntas**:

Eu quero?

Eu preciso?

Eu posso?

Eu devo?

Se a resposta for sim pra *todas* as perguntas, então compre sabendo que não foi por impulso.

❼ Parabéns, você ficará rica, estamos mentalizando aqui a nossa riqueza e a sua também.

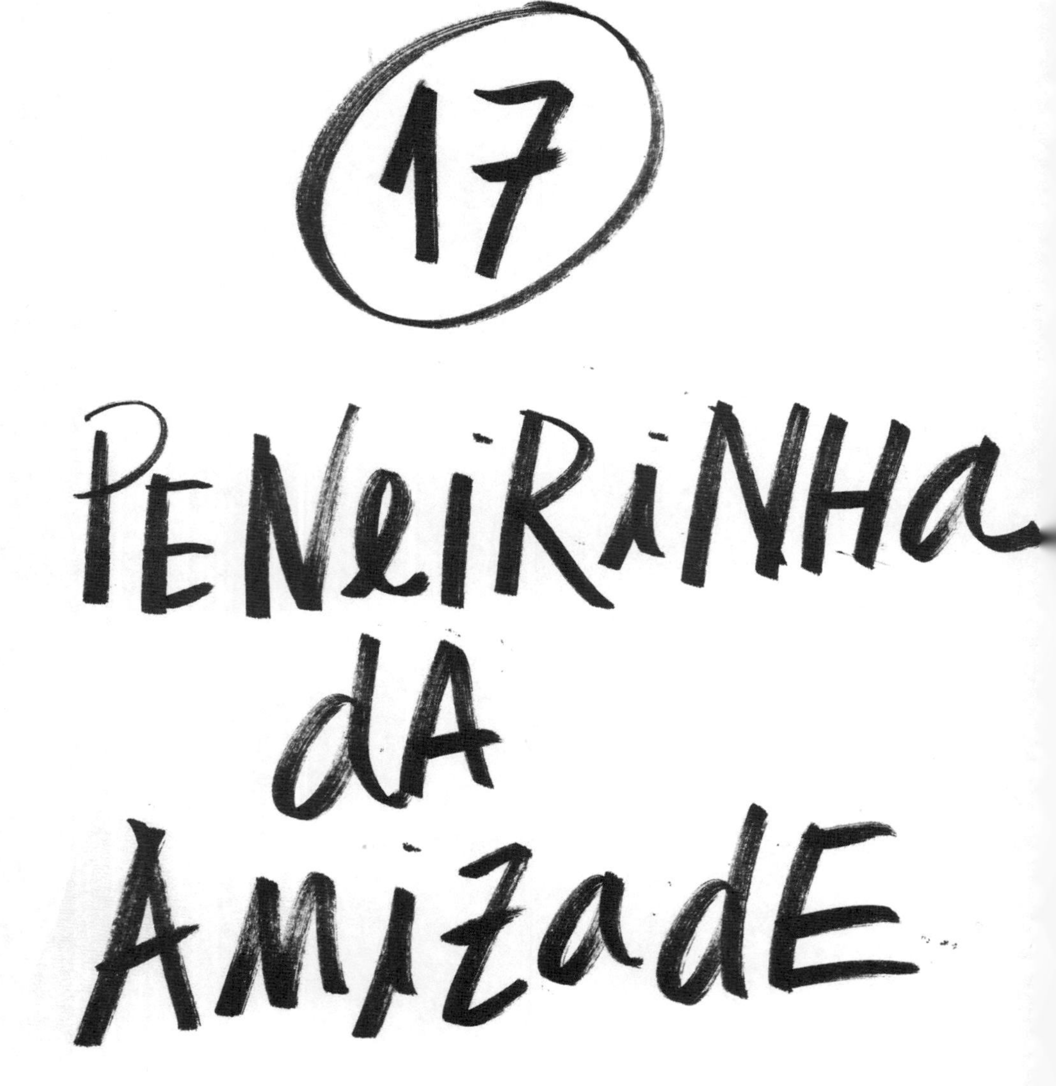
17
PENEIRINHA
DA
AMIZADE

Aos trinta, pode reparar, você anda trocando de amigos. É a peneirinha da amizade que está agindo na sua vida.

A peneirinha é um fenômeno que acontece sem você perceber e dura alguns anos até se consolidar. É a seleção natural da sua vida social. Aqui não são os mais fortes que sobrevivem, mas apenas os que têm mais a ver com o jeito que você pensa e seus valores nessa nova fase.

Antes de a peneirinha chegar, você fez muitos amigos na escola, no parquinho, na faculdade, em bares, no trabalho, em baladas ou virtualmente, tipo no Twitter — nós mesmas fomos unidas por ele. Como toda amizade, vocês sempre tiveram algo em comum, fosse o gosto musical, hobbys, falar mal do chefe (o que mais une as pessoas adultas), beber, reclamar da vida, ficar em baladas até meio-dia, fazer viagens ou qualquer assunto que tenha aproximado vocês.

Muitas amizades surgiram e acabaram desde sempre, mas antes da peneirinha elas precisavam de motivos mais sólidos, principalmente na hora de colocar um ponto final. Sempre tinha uma briga, uma indireta que todo mundo entendia pra quem era, uma fofoca, confusão com ex-namorado de alguém, intrigas, traições, um cano que te davam, um dinheiro que te deviam, rivalidades no trabalho etc.

A peneirinha vem sem drama, talvez até por isso doa mais, porque, quando você percebe, aquela pessoa que amava, falava todo dia e vivia na sua casa, simplesmente sumiu da sua vista. Mas se perguntarem por que vocês estão distantes, você nem saberia responder. Ao mesmo tempo, você não sente vontade de ir atrás da pessoa para retomar, ainda gosta dela, sente carinho, mas o que viveram já passou, já se acostumou com esse novo jeito.

Não é nem que a peneirinha te faz pensar muito tempo sobre quem você quer e quem não quer mais ver ou falar, mas naturalmente param as mensagens, o grupo de WhatsApp fica quieto, o nome da pessoa vai lá pra baixo do seu Inbox e seus planos para um feriado não são mais pensados em conjunto. É tipo seguir em frente, mas sem um coração partido.

Não tem o certo e o errado na peneirinha, pode acontecer de você mudar muito e a pessoa continuar na mesma, de ela mudar muito e você continuar na mesma, de você se espiritualizar e os outros não, de eles virarem veganos e simplesmente não quererem mais andar com você que come bacon. Pode acontecer.

A peneirinha deixa pra trás pessoas que você amou muito e talvez até ainda ame, muitas delas nunca nem te decepcionaram. Não se sabe ao certo quem enviou a última mensagem, qual foi o dia que acabou o assunto entre vocês.

Um dia sua melhor amiga de anos, que esteve ao seu lado fazendo planos para a vida adulta e para o dia que vocês iam as duas morar fora, depois casar, depois ter bebês na mesma época, fica noiva de alguém — um namorado que você nem conheceu ainda, porque faz dois anos que não a encontra. Você fica feliz e ao mesmo tempo melancólica, afinal percebe que não são mais tão amigas assim, já que você soube pelo Facebook que ela vai casar. Talvez ela nem te convide, como aconteceu com seu melhor amigo de anos que foi morar junto com a nova namorada e deu uma festa de inauguração da casa que você viu pelo Instagram. Mas, pensando bem, nenhum dos dois foi convidado pro seu último aniversário e você trocou de telefone e eles nem têm mais seu número. Essa é a peneirinha.

A peneirinha ficou mais fácil com a ajuda das redes sociais. Provavelmente vocês vão continuar se seguindo no Instagram, o que hoje em dia é uma prova de amizade verdadeira (ser seguido de volta, por mais maluco que pareça, é muito importante para as pessoas), vão curtir as fotos e talvez comentar um "linda", "lindo", "saudades" e continuar sabendo os lugares que eles frequentam, como foi o casamento, se tiveram filhos e talvez até se estão felizes ou tristes, e acompanhar com o tempo os novos amigos que vão aparecer nas fotos deles, e acompanhar novas turmas se formando.

Pelo Instagram e pelo Facebook, a gente não sente tanto peso por não ligar ou chamar pra almoçar, pois estamos longe mas torcendo sempre por todos os amigos que a peneirinha levou. Sabemos que eles também torcem por nós.

Se encontrarmos esses amigos algum dia na rua, vai ser legal e talvez até aqueça o coração, mas não é o suficiente para retomar a amizade como era antes. Todos nós mudamos, melhor ficar assim.

* * *

E a peneirinha traz novos amigos também, que nem dá pra explicar de onde vieram, se foi do trabalho, do Twitter ou de um bar. Eles vão aparecendo e ganhando um lugar importante na sua vida, os assuntos de vocês vão se formando e parece que eles sim te entendem e têm tudo a ver com quem você é agora.

Novas turmas se moldam pra sua nova vida aos trinta: se você continua solteira, outros solteiros vão aparecendo; se casou, outros casais que fazem jantares colam em você; seus novos gostos musicais e os lugares que gosta de frequentar agora, as viagens, uma mudança de emprego e as novas experiências trazem amigos que combinam mais com sua nova versão.

O que também une as pessoas na peneirinha da amizade é falar sobre a peneirinha da amizade e a crise dos trinta. Não saber o que quer fazer é um assunto maravilhoso que duas pessoas podem ter em comum. Não saber o que quer fazer ao lado de uma pessoa que também não sabe é um alívio, amizade verdadeira na certa.

Pense bem na sua peneirinha e veja quantas pessoas chegaram e foram embora da sua vida nos últimos anos. Tudo teve algum sentido, mesmo que pra você não faça nenhum sentido. Mas você agora está cheia de amigos, os novos que a peneirinha trouxe e os velhos que fizeram parte da sua vida e sempre vão fazer.

18

Lista de aniversário

Por falar em amizade, decidimos criar uma lista de aniversário para tentar padronizar essa palhaçada que a internet trouxe de ninguém mais nos ligar quando chega o nosso dia e de as pessoas acharem que não precisam nos ver pessoalmente nunca mais. Podem nos chamar de antiquadas, mas com a gente vai ter que funcionar assim e é assim que iremos tratar vocês também.

➲ **Quando ligar à meia-noite:** caso você seja melhor amiga, melhor amigo, superamiga, superamigo, namorada, namorado.

➲ **Quando não ligar à meia-noite:** se ainda não é namoro e chama de "casinho" ou "estou ficando", mas sem muita intimidade. Sabemos que a pessoa mais apaixonada vai estar acordada querendo muito ligar, mas morremos de medo de nos acharem psicopatas e descobrirem que somos mesmo e que te stalkeamos o dia inteiro e entramos no Facebook da sua mãe hoje (desculpa; aliás, ficou lindo o novo corte de cabelo dela).

➲ **Quando ligar a qualquer hora:** família, amigos e o "casinho" amado stalkeado.

➲ **Quando mandar áudio de WhatsApp:** amigos que vão te encontrar mais tarde ou amigos do bar e da balada.

➲ **Quando mandar WhatsApp escrito:** gente que você tem preguiça de falar, ou seja, basicamente muita gente, porque a internet te mostrou o que as pessoas pensam em seus comentários no Facebook e agora já não há motivos para manter contato humano com 98% da população.

➲ **Quando postar uma foto da pessoa no Instagram:** por favor, nunca postem fotos nossas no nosso aniversário, achamos muito cafona.

➲ **Quando fazer uma festa surpresa:** quando o aniversariante for avisado e participar da organização junto, sendo assim surpresa para os convidados que ele sabia, pois vai fingir que não sabia (esse é o nosso estilo de festa surpresa, decidimos avisar aqui para possíveis festas que vocês façam pra gente).

➲ **Quando ir na festa da pessoa:** quando você gosta dela e é amiga, mas queremos deixar claro que amigos verdadeiros não se importam que você falte na festa deles, porque a vida é corrida e sair à noite muitas vezes envolve táxi e restaurantes e bares que são caros, além disso a noite é um momento sagrado de assistir TV e comentar na internet.

19

Muito melhor aos trinta

➲ **Aos quinze, você tem que pedir aos seus pais para ir a festas e baladas** e eles podem te proibir dependendo de quantos zeros tem no seu boletim. Aos vinte, poder sair depende muito de quantos zeros tem no seu extrato bancário, mas pelo menos não precisa pedir pro seu chefe do estágio ou emprego e nem pra ninguém para sair. O problema é que você sai tanto que isso afeta seu rendimento e algumas vezes o relacionamento com o chefe, que fica bravo se você vive chegando atrasada por causa de balada. Aos trinta, seu salário geralmente é melhor, mas agora são seu chefe e colegas de trabalho que te imploram para sair e aparecer nos aniversários e happy hours, porque você já não tem mais paciência nem saúde para ir em tudo e quer render no trabalho pra ficar rica e se isolar da sociedade vendo séries. Muito melhor aos trinta.

➲ **Aos quinze sua mãe veta várias roupas**, já que é ela quem paga tudo, e ela prefere pagar coisas que vão durar e você vai usar mais do que o que é modinha. Aos vinte, você compra uma blusa da moda que nunca vai usar e divide em seis vezes, muitas vezes se endividando, e passa anos caindo na roubada de vítima da moda. Aos trinta você já sabe seu estilo e as roupas que ficam bem no seu corpo, mas agora quem quer coisas que durem é você, que também começa a conhecer melhor as palavras conforto e qualidade. Você não compra mais tanta roupa para sair e da moda porque precisa muito mais de pijamas para ficar em casa vendo séries isolada. Muito melhor aos trinta.

Nota das autoras: talvez tenhamos tendências ao isolamento e queiramos influenciar todas as pessoas a terem também. Infelizmente não podemos saber se todos são de fato assim, pois estamos isoladas vendo séries.

➲ Aos quinze você provavelmente é a fim de alguém da escola, e por causa disso vê seu paquera de segunda a sexta. Todos os dias têm fortes emoções: na segunda você se declara, na terça vocês ficam no intervalo, na quarta ele manda um recado pra sua melhor amiga, na quinta eles ficam, na sexta você chora no recreio e termina a amizade com ela para sempre. Aos vinte, a maioria dos seus paqueras surge nos amigos em comum e baladas que vocês frequentam, e como você ainda tem saúde para sair muito, os capítulos da novela acontecem todo fim de semana, por isso as reviravoltas do amor duram um pouco mais que dias, duram semanas. Mas apesar de não serem mais tão intensas quanto as da escola, ainda mexem muito com você e podem atrapalhar sua semana inteira pensando nisso. Aos trinta todo esse processo dura muito mais tempo, já que estamos trabalhando, ocupadas, e todo mundo viaja, vai morar fora ou fazer qualquer coisa de adulto. Essas reviravoltas entre paqueras e amigas traíras demoram meses e talvez anos e, como não são o único foco da sua vida, têm um peso muito menor, porque são apenas detalhes no seu dia a dia de adulta ocupada. Além disso, aos trinta, quando uma coisa dá errado com um paquera ou amiga, tantas coisas já deram errado até ali na sua vida que você sabe que é só mais uma e que não vai parar sua vida por isso, provavelmente daqui um ano nem lembre mais disso. Muito melhor aos trinta.

➲ Aos quinze sua pele está na pior fase da vida, cheia de espinhas inflamadas e oleosidade. Você ainda não manja muito de maquiagem, pode até se interessar pelo assunto e ver todos os tutoriais, mas ainda não pegou a prática de saber exatamente que produto é bom pra sua pele, porque nem sua pele sabe ainda que pele ela é, e nem que maquiagem fica boa pro seu rosto, já que seu rosto ainda não é seu rosto verdadeiro da vida, você está crescendo e ele ainda vai mudar muito. Aos vinte, você já entende da sua pele e de maquiagem, mas acha que precisa de todos os produtos que são lançados e de que as blogueiras de beleza falam bem, ganhando muito dinheiro pra isso, então começa a estocar esmaltes da moda, delineadores coloridos e com glitter, cremes para pele com rugas sem ter rugas, trinta nuances de batom vermelho e cores infinitas de sombras e blushes, sem perceber que um blush dura pelo menos uns quatro anos, e essa década inteira da sua vida precisará de dois no máximo. Aos trinta, sua pele está praticamente boa, afinal foram anos lidando com ela pra saber o que ela é e qual creme ou alimentação melhora ou piora. Tudo bem que aparecem manchas de pele eternas, mas são muito mais fáceis de cobrir com maquiagem do que espinhas inflamadas da adolescência. Aos trinta, você já sabe qual maquiagem fica boa e quais cremes duram muito tempo, já jogou muito produto de beleza fora nessa vida, então percebe que precisa ter pouca coisa pra se cuidar e se maquiar; além disso, já sabe a maquiagem que funciona com seu rosto e as cores de sombra de que gosta, e faz essa que não tem erro. Muito melhor aos trinta.

➲ Aos quinze você ainda não beijou muitos caras (ou não beijou nenhum, se você cresceu na nossa época dos anos 90, quando uma menina se guardava pro Bon Jovi) e quando beija fica insegura se beija mal ou não, se fez as coisas certas, se agiu naturalmente, se não pareceu nervosa. Aos vinte o beijo já não é uma questão de paranoia e preocupação, você beija por beijar, você quer quantidade, e por isso acaba beijando os caras mais nada a ver do mundo, só por beijar mesmo, e muitas vezes acaba se arrependendo. Aos trinta você já sabe que todo mundo que beija alguém pela primeira vez sente o mesmo nervosismo e cobranças que sentia aos quinze anos, mas pelo menos já percebe que se o beijo não foi bom, não é culpa sua e nem da outra pessoa, é a química e o encaixe de vocês que não deu certo. Você também fica bem mais seletiva e já não beija qualquer cara só por beijar. Muito melhor aos trinta.

➲ Aos quinze sua primeira vez provavelmente está perto. E ela tem um peso social tão grande pra se encaixar na turma que vira uma noia maluca e quando ela acontece poucas vezes é boa realmente, pois você tem tanta coisa pra pensar e pensa tanto em como vai contar pra sua amiga ou o que o menino vai falar de você pros amigos dele que até esquece que está fazendo sexo. Além disso, todo mundo fofoca muito. Se você já perdeu a virgindade, vão falar de você porque já perdeu; se não perdeu ainda, vão falar porque não perdeu. Aos vinte, acontece a transição do sexo, de ser tabu para uma coisa normal, afinal você percebe que não existe relação do sexo com esperar o príncipe e com romantismo, e você se permite transar quando você quer. Mas aos vinte, você ainda sente bastante pressão social de que precisa sempre ficar com alguém pra ser desejada e popular, pois os jovens de vinte ainda falam muito sobre isso, aliás quase só falam sobre isso, e ficam comentando que se você está dando muito é porque está dando muito, e se está dando pouco é porque está dando pouco, e isso pode te influenciar um pouco, já que você pode ficar procurando qual é a medida certa para dar pras pessoas comentarem coisas boas de você. Aos trinta, todo mundo já percebeu que não existe nada de complicado em relação ao sexo, e ninguém perde tempo falando sobre isso — as pessoas querem fazer sexo e não falar sobre quem fez. E se aparece alguém falando sobre você, porque você deu pra alguém, você não está nem aí, você deu mesmo e está tudo certo com isso. Muito melhor aos trinta.

➲ **Aos quinze você se importa muito com o que os outros pensam sobre você.** Isso pode até te perturbar, porque você fica o tempo todo querendo agradar os outros e se encaixar, acaba até ficando um pouco sem personalidade muitas vezes. Aos vinte, você finge que não se importa com o que pensam de você, mas no fundo você até gosta que pensem sobre você. Aos trinta você não se importa *mesmo* sobre o que pensam sobre você, você até adoraria que nem pensassem sobre você, pois estão perdendo seu tempo, uma vez que você tem mais o que fazer do que se importar (séries + pijama).

➲ **Aos quinze, quando um menininho te dá um fora, seu mundo acaba ali.** Você acha que nunca mais vai conhecer um cara tão lindo e interessante como ele, e que ele tem muita experiência e que foi culpa sua não ter dado certo essa linda "relação" no recreio, você acha que nunca mais vai querer sair e nem ser feliz e nem se divertir — é algo muito definitivo e doloroso. Aos vinte, você já percebeu que não é o fim do mundo, mas ainda é uma semicatástrofe mundial. Logo que ele termina, você tem certeza de que a culpa foi sua e acha que perdeu alguém muito legal, esclarecido, que com certeza era o homem da sua vida, mas poucos meses depois já foi para tantas baladas e já tomou tantos porres que nem lembra mais da catástrofe, ou, se lembra, preenche seu tempo com diversão e ressacas leves. Aos trinta, você já se acostumou tanto que relacionamentos terminam e que as coisas dão errado que quando toma mais um fora você mal se dá conta, pois fica muito mais triste quando uma série acaba ou quando o dólar aumenta perto das suas férias tão esperadas pro exterior. Já nem abre mais um pote de Nutella para chorar, porque está ligada na questão da diabetes e do colesterol, e, além disso, por que choraria, se é só mais um término e muitos outros virão? Muito melhor aos trinta.

20

OS PIORES CONSELHOS AOS TRINTA E EM QUALQUER IDADE

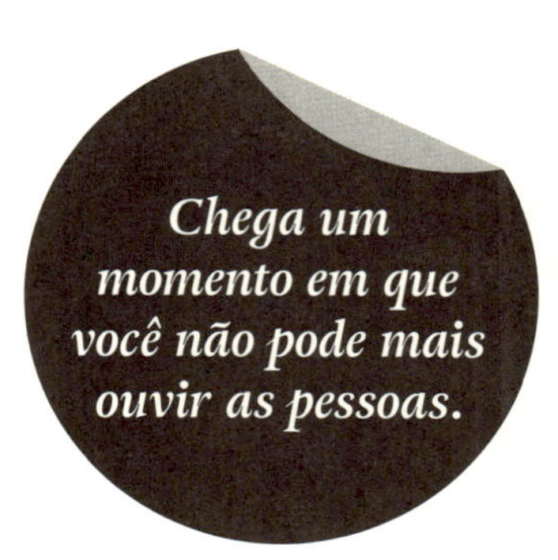

➔ Não tente uma nova profissão, fique nessa que você já está mesmo se estiver infeliz, pois já tem seu salário garantido e a vida é assim mesmo. A gente faz coisa de que não gosta o tempo todo.

➔ Ai, vai estudar velha? Pra que entrar em uma faculdade/fazer um curso de línguas agora?

➔ Por que você não engravida para salvar seu namoro/casamento?

➔ Quando você desencalhar/encontrar alguém/um namorado/um marido vai ser feliz.

➔ Casa logo, pra ele te sustentar e arrumar sua vida.

➔ Você precisa arrumar um homem pra te proteger e cuidar de você (solteiras e lésbicas estão perdidas nesse mundo?).

➔ Se você emagrecer um pouco vai ficar bonita.

➔ Se você emagrecer um pouco vai ficar bonita, vai conquistar um cara e vai ser feliz finalmente.

➔ Fique mais feminina, você é mulher.

➔ Fique mais arrumada, você é mulher.

➔ Tenha sempre as unhas feitas, o que vão pensar de você?

➔ Tome esse remédio pra emagrecer aqui, todo mundo está usando, é totalmente seguro, a fulana emagreceu trinta quilos em um mês.

➔ Por que você não faz uma plástica?

➔ Você tem que se vestir assim para "pegar bofe", senão nenhum homem vai gostar de você.

➔ Homem gosta de mulher burra/quietinha/compreensiva/magra/que não discute.

➔ Você só vai conhecer o amor verdadeiro quando for mãe.

➔ Homem gosta de mulher que se faz de difícil.

➔ Por que você não desiste (de um amor, sonho, trabalho que dá trabalho)?

➔ Por que você não compra uns seguidores pra dar uma bombada? Ninguém vai saber.

➔ Você assusta as pessoas, por que não muda o seu jeito?

➔ Pra que gastar com plano de saúde? Eu gasto meu dinheiro com balada, roupa, outras coisas.

➔ Tem uns sapos que a gente tem que engolir, ué, normal.

➔ Eu sei que você está infeliz nesse relacionamento, mas pensa que pior seria estar solteira. Sabe o quanto demora depois pra arrumar alguém? Fica com ele, pode ser só uma fase.

➔ Nada pode ser pior do que ficar sozinha.

➔ É melhor não falar as coisas e guardar pra você do que magoar as pessoas.

➔ Quem tem tempo pra ler livros? Livro já era! Agora é app que pega.

Escreva aqui os piores conselhos que você já ouviu e não quer mais ouvir, caso tenhamos esquecido algum (e mande a foto pra gente com a #enfim30):

21

BONS CONSELHOS

➔ Se você se sente infeliz na sua profissão, mude de emprego, e se não melhorar, tente uma nova profissão. Nunca é tarde para recomeçar a vida e com criatividade podemos encontrar novas maneiras de viver, ganhar dinheiro e ser feliz.

➔ Comece a estudar. Estudar é maravilhoso sempre e um dos melhores jeitos de conhecer pessoas que têm algo a dizer e não gastam o tempo te dando conselhos cretinos. Aprenda tudo o que tiver vontade, independente da sua idade. Quer surfar, nunca dirigiu, quer ler um livro no alfabeto cirílico? Vai que enquanto viver dá tempo.

➔ Engravide só se você quiser. Tenha filhos só se você quiser.

➔ Seja feliz com você mesma, estando solteira, casada, divorciada, viúva. Tente ser feliz em todas as opções ou só nas que quiser, mas seja feliz sendo você mesma. Repetindo: seja feliz com você mesma e sendo você mesma.

➔ Case se quiser; se não quiser, não case. More junto se quiser; se não quiser, não more junto. Faça o que quiser; se não quiser fazer nada, não faça nada.

➔ Você não precisa de ninguém para te proteger, pois um homem não é um segurança particular ou um super-herói. Se cuide e tente prestar atenção por onde anda. Ser casada ou solteira não muda os perigos que nós corremos todos os dias.

➔ Você vai ficar bonita quando se sentir bonita e vão te achar bonita quando você se achar bonita, e talvez até quando você não estiver se achando bonita alguém vai te achar bonita.

➔ Se você quiser emagrecer porque acha que assim vai se sentir bem, emagreça; se você não quer, não emagreça. Você não deve nada a ninguém e nem precisa ter o corpo que acham que deve ter ou que outra mulher tem pra ser melhor ou ser feliz. Quilos não têm a ver com felicidade.

➔ Você não tem obrigação nenhuma de ficar feminina; se vista feminina só se quiser.

➔ Você não tem obrigação nenhuma de andar arrumada; se arrume se quiser.

➔ Sugira pras pessoas que dizem que você tem que estar com a unha feita que elas façam a unha caladas em vez de te dar conselhos.

➔ Não tome remédios para emagrecer só porque alguém toma. Se quiser muito tomar, visite um médico sério, mas antes pergunte a ele sobre os efeitos colaterais que duram anos e que podem virar depressão.

➔ Faça plástica só se quiser, não faça porque é moda ou porque alguém te disse que vai ser mais feliz se fizer.

➔ Se vista como quiser e só fique com quem aceitar que você e suas roupas são assim. Se alguém usar o termo "pega bofe" com você, responda que não fala português, em português.

➔ Não mude seu jeito pra agradar ninguém; quem gostar de você vai gostar como você é.

➔ Você só vai conhecer o amor verdadeiro quando amar de verdade. Você pode amar de verdade qualquer pessoa e também animais e plantas e o céu e uma religião e o Universo e um personagem de filme e um astro do rock, só para citar alguns.

- Seja fácil se quiser ser fácil ou difícil se estiver a fim de ser difícil.

- Não desista nunca dos seus sonhos, por mais que você pareça ser a única a acreditar que eles vão se realizar.

- Número de seguidores não te faz uma pessoa melhor ou mais especial; você é especial como é sendo anônima ou famosa.

- Se dizem que seu jeito assusta as pessoas, invista no Halloween, essa é a sua época pra brilhar mais ainda (e dê risada dessas pessoas).

- Tente pagar um plano de saúde, você não vai se arrepender, é um investimento em você.

- Fale não sempre que quiser falar não. Aprenda a falar não. Falar não é libertador.

- Se você não é mais feliz em um relacionamento, saia desse relacionamento e vá achar um em que é feliz. Não tenha medo de ficar sozinha.

- Não tenha medo de ficar sozinha.

- Saiba falar o que pensa sem ficar nervosa, chorar, terminar uma amizade por isso.

- Leia livros. Se eles existem faz tantos milhares de anos é porque são um produto realmente bom.

Escreva aqui os melhores conselhos que você já ouviu e gostaria de dividir, caso tenhamos esquecido de algum (e mande a foto pra gente com a #enfim30:

22

AOS TRINTA ESTÁ NA HORA DE FAZER BOTOX?

Parecia que botox era coisa de gente muito mais velha, algo que a Madonna fazia porque ela tem idade para ser sua mãe, e que um dia você pensaria, lá no futuro, se precisaria ou não, mas que faltava tanto tempo que nem passava pela cabeça.

Até que sua amiga noiada com beleza começou a aplicar agulhinhas na testa aos 26 anos dizendo que tinha muitas marcas de expressão de franzir a testa no sol e que queria prevenir a pele de rugas. Você teve certeza de que ela estava louca e não pensou mais nisso.

Só que um dia, muito antes de chegar na idade da Madonna madura, olhou bem perto do espelho e percebeu minirruguinhas na testa, minirruguinhas bem fininhas perto dos olhos, passou o corretivo para apagar a olheira e percebeu a pele um pouco diferente. E aí sentiu um medo de ter feito algo de errado e por segundos se arrependeu por não ter seguido sua amiga noiada da beleza que está com a cara congelada há anos.

Aos trinta você percebe o nascimento de minirruguinhas de expressão quando menos espera. Pode ser arrumando o espelho do carro, se maquiando, escovando os dentes, no reflexo de um elevador.

A primeira reação é um leve desespero. Você começa a pensar no ritmo que isso pode evoluir nos próximos anos e que gostaria que a pele parasse aí, afinal está acostumada a viver com uma pele lisa desde que nasceu. Em seguida se abre com sua mãe, tias, amigas mais velhas, que riem da sua cara dizendo que você não tem ruga alguma e que está reclamando de barriga cheia e fazendo drama à toa. Intrigada, você vai na dermatologista, que diz: "É, tem umas leves ruguinhas sim, coisa normal, podemos fazer um botox se quiser, um botox preventivo".

Caso não seja superimpulsiva e tope o botox na mesma hora, você vai para casa pensando nessa informação chocante, você já é uma pessoa para quem sugerem que faça um botox. É uma sugestão de profissionais, está dentro da sua vida já!

O cenário pode ficar ainda mais tenso se começar a comentar com suas amigas. Falar sobre imperfeições enlouquece as pessoas. Todo mundo se sente acolhida quando alguém começa a falar das suas próprias imperfeições, porque você pode falar das suas também e até comparar as suas com a da outra e perceber que a sua ruga nem está tão aparente assim. É aí que um monstro começa a ser alimentado.

As amigas se dividem. Metade quer botox, ou já fez botox, é a favor do botox. A outra metade nunca fez e é contra, porque acha que a beleza da vida é envelhecer com seu rosto natural, com as expressões dele da vida. Essa metade também pode achar que o botox deixa a cara das pessoas um pouco artificial e começa a citar casos de famosas que fizeram botox e não deram certo, outro assunto que enlouquece muito as pessoas, falar sobre quando os famosos se dão mal.

Enquanto não decide de que lado está, contra ou a favor do botox, você começa a fazer uma pesquisa profunda sobre os cremes que podem tentar resolver sua cara, que nesse momento parece um caso perdido, mesmo que precise de uma lupa para enxergar uma minirruga. E nas horas de análise na frente do espelho puxando sua "minirruga" e tentando esticá-la pra ela voltar ao lugar, você descobre uma infinidade de novos problemas.

Vamos falar sobre a bochecha. A bochecha cai. E não somos nós que estamos dizendo, agora em todos os programas da tarde da TV aberta, direcionados para as mulheres, os apresentadores falam sobre a "bichectomia", a cirurgia para tirar gordura da bochecha e ficar com a cara "chupada" que está na moda entre as atrizes de Hollywood. Notem o absurdo dessa última frase que escrevemos, é muito absurdo, dá vontade de morar em uma cabana para sempre sem contato com humanos.

Mas os programas femininos nos fizeram ver que nossa bochecha começou a cair e nos próximos anos ela vai cair muito mais. Afinal nosso colágeno está começando a diminuir agora e escrevendo este livro descobrimos que o colágeno é uma proteína que proporciona sustentação às células, é ele que segura pele, ossos, cartilagens, ligamentos e tendões. Só para você saber de onde vêm as expressões, marcas, rugas, bochecha caída e noias dos seus próximos anos.

Nessa viagem que pode ser sem volta ao universo do botox, bochecha operada e fatos do colágeno, você também vai descobrir que manchas vão surgir, que existe acne adulta, o cabelo vai afinando com o tempo e ficamos com umas entradas e a flacidez vai afetar o corpo inteiro. Traduzindo essa última, vai brotar celulite de onde você menos imaginar.

Mas precisa ficar tão noiada?

Para começar, as mudanças dos trinta anos na nossa pele são minúsculas e acontecem com todo mundo. É a coisa mais natural da vida. Na adolescência você teve espinhas, agora você vai um dia ter rugas. Quanto antes se acostumar com a ideia e entender que é natural, menos vai sofrer quando esse dia chegar.

Todo esse drama que descrevemos do surgimento das nossas primeiras ruguinhas realmente aconteceu, mas nenhuma das duas foi fazer botox, porque no fundo não precisa. Hoje em dia uma pessoa que mexe a testa quando sorri ou fala é uma pessoa muito exclusiva e diferente. Reparamos isso assistindo um seriado com uma atriz que ficava com marquinhas de expressão quando franzia a testa para falar. Primeiro achamos ela estranha, depois percebemos que ela era a única atriz não estranha nos seriados, ela tinha 39 anos e uma testa que mexia.

Nos acostumamos tanto a ver o rosto das atrizes ficar pra sempre igual ao que elas tinham com vinte anos e a testa delas nunca mais se mexer que acabamos achando normal uma pessoa de quarenta, cinquenta, sessenta ter uma testa lisa congelada. Mas nem é.

Isso não significa que não vamos nos cuidar como protesto e nem que jamais colocaremos botox. Amamos cremes modernos que dão uma esticadinha na pele, adoraríamos testar tratamentos malucos que as ricas fazem que deixam a pele um pêssego em quarenta minutos, mas isso ainda depende de a venda deste livro ser um sucesso.

Mas aos trinta está na hora de fazer botox? Não, ninguém precisa fazer botox porque fez trinta anos, ninguém precisa fazer botox nunca. Mas se você quiser fazer também, é com você.

23

UM CAPÍTULO PARA OS GAYS

Ficamos com vontade de escrever um capítulo para os gays porque estávamos em uma balada gay e tivemos essa ideia. Temos muitos amigos e amigas gays, leitores e leitoras gays, ídolos gays, amamos baladas gay e as músicas que tocam em baladas gay, que são as melhores, pois muitas vezes envolvem a Shakira.

Aos trinta, se ainda não é normal para você que as pessoas sejam gay, você deve repensar toda a sua vida, ver onde errou e começar agora a mudança. Se por algum acaso ou motivo obscuro ainda não entende que as pessoas são gay e que isso é uma escolha delas que não te diz respeito, não faz delas pessoas diferentes de você e não deve tirar delas nenhum direito, feche este livro, respire, marque um psicólogo, procure um tratamento para sua alma e se ajude.

Este é o menor capítulo do livro porque é algo óbvio demais para explicar. Ser gay é igual ser hétero, cada um gosta de quem quiser. Ninguém está errado por amar alguém. Mas vamos dizer quem está certo: está certo quem respeita as pessoas e tenta ser feliz sem julgar como os outros estão sendo felizes. Aos trinta você já tem que saber isso muito bem.

24

Não acredite na Gisele Bündchen e no Mark Zuckerberg

Quando éramos crianças, o sonho de todas as meninas era ser paquita e a mensagem era: você tem que ser loira, bonita e jovem, saber dançar e acompanhar coreografias, mas a Marlene Matos vai te substituir em breve por outra igual e, com dezoito anos, a sua vida e carreira já vão ter acabado.

Nossa sorte é que nem precisamos entrar na crise dos dezoito causada pela Marlene, primeiro porque não éramos loiras e ela não nos escolheria, depois porque as paquitas ficaram datadas e surgiu uma nova paquita invencível que destruiu o sonho das paquitas. Gisele Bündchen chegou na nossa vida como a top internacional de dezoito anos e de repente todo mundo esqueceu que queria ser paquita pra sonhar em ser a Gisele, uma modelo famosa no mundo inteiro. As passarelas viraram o sonho das loiras, morenas e até das baixinhas.

Gisele Caroline Bündchen nasceu no Rio Grande do Sul sob o signo de câncer. Quando adolescente, segundo consta no Wikipédia, tinha o sonho de se tornar uma jogadora de vôlei, foi descoberta aos catorze anos por um olheiro de uma agência de modelos que a convenceu a participar de um concurso, pois viu na menina potencial. Daí para a frente não precisamos mais contar, você já leu e viu no *Fantástico* tudo o que aconteceu na vida de Gisele infinitas vezes.

Em 2000, quando éramos ainda adolescentes e ela tinha por volta de vinte anos, Gisele foi considerada a modelo do ano e já era uma das mais bem pagas, com certeza naquela época já tinha alguns milhõezinhos. Do dia pra noite as revistas nos mostravam como a garota do Rio Grande do Sul que tinha uma vida normal e família simples tinha alcançado o topo tão cedo, nosso padrão de bem-sucedida virou "vinte anos, milionária, mas ainda no auge da carreira, famosa e namorando Leonardo DiCaprio, galã da época". Nós adolescentes pensamos: aos vinte anos temos que ter pelo menos um pouco disso, afinal aos trinta vamos nos aposentar, como todas as modelos.

Mas não foi só a Gisele que elevou a nossa percepção do que era ser bem-sucedida na vida. Em 1998, conhecemos Britney Spears, a "princesinha" do pop que nos fez economizar a mesada para comprar o CD *Baby One More Time* e começar os ensaios para a nossa carreira de cantoras pop, que infelizmente não deu certo (caso tenham interesse, ainda sonhamos em gravar um single, entrem em contato).

Com a Britney veio toda uma turma de ídolos teen: Christina Aguilera, Nsync, Backstreet Boys e dezenas de genéricos. Não vamos colocar os Hanson nessa categoria pois eles não são uma *boy band*, eles sempre tocaram os próprios instrumentos e compuseram seus próprios hits, os Hanson estão em um outro patamar, digamos que podem ser considerados uma religião.

Mas nem tudo estava perdido, os ídolos teen nos provaram que nem era tão legal assim obter dinheiro e sucesso antes dos vinte, afinal todos eles terminaram suas bandas, se envolveram em escândalos, enfrentaram fracassos de vendas e alguns até desistiram da carreira. Foi triste ver a Britney raspar a cabeça aos 25 anos e ameaçar paparazzi com guarda-chuva? Foi sim. Mas ela estava esgotada, cansada de todas essas responsabilidades e atenção tão nova. Ficamos preocupadas, pois somos fãs da "Rainhaney Britney", mas deu um alívio saber que não era tão perfeito assim conquistar tudo tão cedo.

Esse alívio durou pouco, pois então conhecemos Mark Zuckerberg, o nerd que fundou o Facebook aos dezenove anos e virou um jovem bilionário sinônimo de sucesso sem nem precisar ser "loira, magra e bem vestida". O Facebook virou parte da nossa vida e uma rede social que nunca mais paramos de usar no nosso iPhone, e foi aí que nos demos conta de que o Steve Jobs fundou a Apple aos 21 anos e nos lembraram que o Bill Gates fundou a Microsoft aos dezenove. Viramos a geração "o que você está fazendo que ainda não criou algo especial?", que já falamos no começo do livro.

E aí vieram os jovens criadores de aplicativos e pioraram tudo pra gente. Hoje qualquer pessoa, bonita, feia, alta, baixa, magra, gorda, pode ter uma ideia que vai ser útil ou não na vida de todos e programar essa ideia, criando um aplicativo que vai virar moda e vai valer bilhões, e na maioria das vezes vai ser muito jovem e vai sair na mídia toda semana como aquela pessoa tão jovem ficou tão rica, e nós aqui, envelhecendo e batalhando por um dinheiro a mais pra pagar o aluguel no fim do mês. Sabemos que essas pessoas são exceções e todos esses casos são raros, mas fica aquela "vozinha" nos falando "Olha lá, ele com 23 anos e já teve uma ideia de milhões/bilhões, e você? Quando vai ter a sua?".

Saudades de querer ser paquita ou cantora teen. Seria tão mais fácil cantar e dançar do que criar um aplicativo milionário.

25

AOS TRINTA VOCÊ ESTÁ APENAS COMEÇANDO

A verdade é que Mark, Gisele, Steve Jobs e Britney são casos isolados. Aos trinta anos a vida ainda está começando e dá muito tempo de ter uma ideia, se reinventar, atingir o sucesso. O.k., depois de falar tanto sobre pessoas que ficaram milionárias aos dezenove, imaginamos que você esteja um pouco deprimida, nós também ficamos, por isso reunimos aqui casos de pessoas que fizeram sucesso, se reinventaram e aconteceram depois dos trinta, pra te incentivar e nos incentivar.

➔ Sabe o WhatsApp, aquele aplicativo de mensagens que você fica o dia inteiro? Aliás, pare de olhar pra ele um pouco e preste atenção aqui neste capítulo, porque o que vamos falar é muito legal: os criadores do WhatsApp, Jan Koum e Brian Acton, tinham 33 e 36 anos quando tiveram essa ideia que matou a função telefone do nosso celular.

➔ Se você é uma pessoa legal e tem bom gosto, já assistiu a série *Breaking Bad* (se não assistiu, largue este livro, assista inteira e depois nos falamos). Agora pense que Bryan Cranston entrou no projeto aos 52 anos para atuar como Walter White e foi só então que ele teve reconhecimento internacional e virou um ator premiado. Mr. White ficou anos como elenco de apoio, tentando emplacar um sucesso, que demorou, mas chegou.

➔ Niklas Zennstrom criou o Skype aos 37 anos, Ray Kroc viu a chance do sucesso no McDonald's aos 52 anos e John Stith Pemberton fundou a Coca-Cola aos 55 anos.

➔ Tina Fey pode ser considerada a perfeição da humanidade ao lado de Amy Poehler, mas a dupla de amigas atrizes, comediantes e roteiristas só estreou no programa *Saturday Night Live*, que faria as duas serem reconhecidas mundialmente, aos 28 e trinta anos, respectivamente.

➔ Cindy Lauper lançou "Girls Just Wanna Have Fun" aos trinta anos e nunca mais uma festa de formatura foi a mesma.

➔ George Clooney só foi escalado para viver um médico gato no seriado E.R. aos 33 anos, em 1994. Ele continua gato até hoje.

➔ Anna Wintour só ocupou seu tão desejado cargo de editora-chefe da *Vogue America* e pôde começar a usar seus Pradas e ser "diaba" da moda aos 39 anos.

➔ A estilista Chanel, ícone da moda que mudou a silhueta das mulheres nos anos 1920, só abriu sua primeira casa de costura aos 32 anos; depois criou os primeiros modelos de calça feminina; aos 38, o clássico perfume Chanel nº 5; e, aos 43, o pretinho básico, que usamos até hoje e os programas de moda ensinam que é uma peça-chave em qualquer guarda-roupa.

➔ Debbie Harry, vocalista da banda Blondie, só assinou seu primeiro contrato aos 31 anos e começou a fazer sucesso nos anos seguintes. Patti Smith lançou seu primeiro álbum, *Horses*, um mês antes de fazer 29 anos.

➔ Oprah Winfrey começou a trabalhar como apresentadora de um programa matinal de Chicago aos 29 anos, aos 32 ela ganhou o próprio talk-show, que passou a ser exibido para os Estados Unidos inteiros.

➔ Martha Stewart trabalhava na bolsa de valores, mas mudou completamente de vida e de carreira se tornando uma famosa apresentadora aos 52 anos.

➔ Quando a série *Seinfeld* estreou nos Estados Unidos, o criador e protagonista Jerry Seinfeld tinha 35 anos. Antes disso, ele era um comediante que tentava emplacar seu trabalho.

➔ A estrela de reality shows e famosa mais seguida no Instagram atualmente no mundo, Kim Kardashian, era considerada uma subcelebridade meio cafona, mas aos 32 anos começou a namorar o rapper Kanye West e mudou seu guarda-roupa, sendo aceita por estilistas e pela editora-chefe da *Vogue America*, Anna Wintour, que a colocou na capa aos 33 anos, depois de afirmar que jamais a colocaria na revista. Hoje Kim é um ícone de estilo e figura listas ao lado de Coco Chanel e Oprah neste livro.

➲ J. K. Rowling publicou o primeiro livro da série *Harry Potter* aos 31 anos, quando era mãe solteira e morava em um flat alugado. Foram lançados apenas quinhentos exemplares, trezentos deles distribuídos para bibliotecas. Um editor percebeu o potencial do livro e comprou os direitos e a história virou uma saga de sete livros e oito filmes, com fãs enlouquecidos até hoje. Observação: Torcemos para um editor internacional gostar deste livro e transformá-lo em uma saga, pois moramos em flats alugados e podemos ter um bebê a qualquer minuto para deixar a história melhor.

➲ Silvio Santos, o maravilhoso ídolo do Brasil, estreou em seu primeiro programa de TV aos 32 anos, na TV Paulista, mas só fundou sua própria emissora, nosso amado SBT, aos cinquenta anos. Silvio, queremos dizer que te amamos, perdemos um pouco o foco, estamos mandando aqui um recado, mas, Silvio, te amamos, você é demais, beijos.

➲ A rainha do cinema e, ousamos dizer, melhor atriz do mundo, Meryl Streep, ganhou seu primeiro Oscar como atriz coadjuvante aos trinta e como melhor atriz aos 32. Meryl ganhou mais um Oscar de melhor atriz em 2012 e teve outras dezesseis indicações. Quando esse livro chegar às lojas esse número pode ter aumentado para cem tranquilamente.

➲ A rainha da TV brasileira e, só não mais reconhecida que Meryl Streep pois ainda não ganhou um Oscar, Susana Vieira, já nasceu atuando e amada por todo seu país, mas só estreou nas novelas da TV Globo como Candinha, uma Feirante Ambiciosa, aos 28 anos — sabemos que não é trinta, e que provavelmente ela já era muito famosa nessa época, mas então fiquem com a informação de que Susana se lançou como cantora em 2010, aos 67 anos. Para finalizar este capítulo, propomos que você coloque "Per Amore" by Susana Vieira para tocar e imagine seu sucesso de olhos fechados, com trinta ou muito depois dos trinta, pode acreditar que ele chegará.

26

Final

Um livro tem uma vida muito longa. Pode ser que neste momento que você está lendo este capítulo já faça tanto tempo que escrevemos ele, que a gente nem concorde mais com o que escreveu aqui. Talvez também tudo o que falamos nos outros capítulos já tenha ficado muito velho, nós mesmas um dia vamos reler e lembrar de como era a vida no começo de 2015.

2015... vocês acreditam que já é 2015 e estamos escrevendo este livro em pleno 2015?

Gente, 2000 foi ontem! E 98, que ano foi 98, hein, saudades de 98, quando ninguém nunca tinha ouvido falar em glúten e todo mundo comia pãozinho francês de manhã e no lanche da tarde, com toddy e com leite, e todos sobreviveram. Grande ano!

Aliás, anos 90, grande década, que inclusive nesse momento dos anos 2015 está muito na moda e estamos vendo adolescentes se vestindo igual nos vestíamos naquela época, nós mesmas estamos cometendo o ridículo ato de usar roupas iguais às que usávamos quando tínhamos doze anos, as músicas que ouvíamos estão na moda de novo, como se nossa adolescência fosse eterna, só o que não se repete é a vida louquíssima daquela época, em que andávamos sem cinto de segurança, o canudo vinha sem proteção de papel na lanchonete, adultos fumavam na nossa cara em ambientes fechados, inclusive em aviões, e nos desenhos animados que assistíamos enquanto nossa mãe fazia touca (nem vamos explicar o que é, procurem, geração alisamento) os bichinhos fofos se matavam, espancavam, davam tiros e brincavam com facas.

E sobrevivemos. Por isso sabemos que vamos sobreviver também a essa crise dos trinta e 2015, afinal "não está fácil pra ninguém", mas estamos aí na correria, enfrentando as dificuldades com muita positividade (nesse momento fizemos uma aposta com o marido da Camila que temos que ficar um mês apenas pensando positivo).

Nossa vida aos trinta e 33 anos é mais ou menos assim: acordamos e pegamos o celular, entramos no WhatsApp para ver as mensagens que já chegaram, olhamos o Snapchat para ver todos os segundos de todos que seguimos, quem já tomou café da manhã e o que comeu, quem fez ginástica cedo, quem está viajando, *selfies*, o que perdemos da madrugada, aquele giro. Checamos o Instagram, para ver na *timeline* as pessoas mais antigas que ainda postam por lá o que fizeram na madrugada e na manhã, vemos quem curtiu nossas fotos, novos seguidores, checamos se alguém mandou reply no Twitter ou notificações no Facebook e em seguida vamos para o e-mail, ver se tem alguma notícia de trabalho. Depois de tantas redes sociais já estamos atrasadas e aí nos arrumamos para o dia.

Nossas roupas são basicamente calça jeans, camisetas (a grande maioria cinza, passando por chumbo e algumas vezes preto ou preto estonado) e nossos casacos têm quase todos tom verde militar, pois foi uma época da moda que tínhamos dinheiro para comprar roupa e, devido à crise financeira e à escassez de freelas que começou em meados de 2013, estamos vivendo essa moda até hoje. Esperamos que ela volte em breve, esses casacos são muito lindos.

Nosso café da manhã se divide em produtos sem glúten e sem lactose ou produtos com glúten e com lactose, para nos sentirmos monstros que estão fazendo algo errado e se autodestruindo, afinal, quem come glúten e lactose em pleno 2015? Nossas opções de alimentos são muito escassas, segundo a sociedade.

Nosso trabalho é escrever na casa de uma das duas ou em um restaurante, também de comida light, onde para conseguir saciar nossa fome temos que comer dez refeições em uma tarde, gastando R$ 300 em média (por tapioca). Outra parte do nosso trabalho é ser chamadas para reuniões em produtoras, cafés, agências, locais que não sabemos explicar agora mas têm uma mesa grande e uma mandala desenhada na parede, e falar sobre projetos, basicamente nós falando sobre o projeto e dando ideias para ele e as pessoas nunca mais nos ligando ou respondendo nossos e-mails ou nos pagando pelas ideias. Ainda assim é uma maneira boa de nos pagarem eventualmente um suco, que hoje em São Paulo custa em torno de dezesseis reais (quando não pedimos suco verde, recebemos olhares de reprovação dos garçons e de envolvidos na reunião, pois o suco de laranja é o novo refrigerante); dependendo da reunião podem até nos pagar a comida, e assim pulamos um gasto, que é nosso almoço, porque nós não sabemos cozinhar e comemos fora todos os dias, gastando o valor de uma pickup importada por mês em comidas de quinoa e saladas que custam o valor de uma poltrona.

Para isso, levamos sempre nosso computador e tentamos ir arrumadas, então vamos de táxi ou Uber, porque temos medo de roubarem nosso computador no ônibus ou metrô, e assim ficarmos sem nossa única ferramenta de trabalho, pois como podem observar estamos sempre trabalhando de graça para os outros e não temos como comprar um computador novo. Não temos posses nem para um pão com mortadela atualmente, mas ainda bem, pois mortadela é um alimento dos anos 1980, que em 2015 quem comer morre no mesmo dia envenenado, pois ela não é fitness, ela tem um nome horrível, que é "embutido", fora isso mortadela custa atualmente, em São Paulo, doze reais algumas fatias.

Tentamos ser saudáveis e fazer academia, a mensalidade é em torno de uma pickup por mês também, e os resultados nunca chegam, mas os médicos nos dizem que devemos aliar os exercícios com tratamentos e suplementos e comidas caras, mas como vamos fazer isso se o único dinheiro que temos já gastamos nesse treino? Claro que esses médicos somos nós mesmas no Google, pois todos os sintomas que sentimos de qualquer coisa pesquisamos e já detectamos as mais graves doenças, talvez porque para o Google qualquer sintoma é uma doença grave ou gravidez — você que está nos lendo neste momento, segundo o Google, pode estar com alguma doença ou grávida, até se for homem, vá checar (mas não cheque no Google, pois ele vai confirmar).

Quando não estamos acabando uma série no Netflix, enrolando para escrever este livro porque estamos assistindo uma série ou buscando uma nova para assistir no fim de semana, perseguimos drag queens em baladas paulistanas e até pagamos o valor de um acessório para uma pickup para tirar foto com as drags famosas do *RuPaul's Drag Race*. Nossa dedicação às drags é tanta que atrasamos a entrega deste livro para ter mais tempo na 25 de Março comprando acessórios, apliques de cabelo e massinha para esconder nossa sobrancelha e nos vestir de drag, algo que não deu certo, mas continuamos na batalha.

No meio da tarde passamos mais algumas horas — se for somar — em aplicativos, vendo mensagens que recebemos, a vida de pessoas de quem nem gostamos, mas sabemos até a cor da calcinha e da cueca, e grupos de WhatsApp inúteis. Uma das autoras também gasta em média três horas por dia em apps de paquera que poderia usar para ir encontrar as pessoas do aplicativo, mas fica tanto tempo neles que acaba muito sem tempo para ir encontrar essas pessoas — porém não podemos divulgar qual, uma vez que pediu sigilo.

Já que estamos aqui abrindo nosso coração, vamos revelar nossos sonhos. Queremos muito escrever séries, peças de teatro, novelas mexicanas, letras de música para cantores sertanejos, rimas para funkeiras ou resenhas de filmes na parte de trás das caixinhas de DVDs, porém não sabemos ao certo se em 2015 ainda existe DVD. Queremos muito morar fora e ter muitas experiências, conhecer vários países, aprender vários idiomas, fazer bem para o mundo, influenciar bem as pessoas e também que nos chamem para projetos que realmente aconteçam, não apenas reuniões eternas.

Se vocês acham os valores do projeto muito ambiciosos, tudo bem, só pedimos que paguem o nosso cappuccino com leite sem lactose então, que atualmente em São Paulo custa em torno de 26 reais.

E, mais do que tudo, gostaríamos de ter sempre muito tempo livre para fazer cabecinha, nosso maior vício, que vamos explicar agora.

Cabecinha é o nome dado pela nossa amiga Leka ao ato de ficar recriando, fantasiando, imaginando situações na nossa cabeça, sobre coisas que vão acontecer ou que achamos que vão acontecer e fazer um roteiro a nosso favor. Agora que acabamos este livro teremos tempo para fazer cabecinha sobre nosso sucesso e felicidade e sugerimos que você também faça a sua, afinal, agora você já sabe que fazer trinta anos é maravilhoso e que os próximos anos serão ainda melhores.

TIPOGRAFIA Adriane por Marconi Lima
DIAGRAMAÇÃO Ale Kalko
PAPEL Pólen Soft
IMPRESSÃO Gráfica Bartira, março de 2016

A marca FSC® é a garantia de que a madeira utilizada na fabricação do papel deste livro provém de florestas que foram gerenciadas de maneira ambientalmente correta, socialmente justa e economicamente viável, além de outras fontes de origem controlada.